Gabrielle Lord

Traduit de l'anglais par Ariane Bataille

JUILLET

RAGEOT

À Amber, Cal, Holly, Jimmy et Matt.

La mise au point des textes médiévaux a été réalisée
avec l'aide précieuse de Christine Cancel.

Couverture : La cidule*grafic/Nathalie Arnau.

Suivi de la série : Claire Billaud et Guylain Desnoues.

ISBN 978-2-7002-3688-0
ISSN 1772-5771

Je m'appelle Cal Ormond,
j'ai quinze ans,
je suis un fugitif...

Les personnages de mon histoire...

Ma famille : les Ormond

• **Tom :** mon père. Mort d'une maladie inconnue, il a emporté dans la tombe le secret de notre famille qu'il avait découvert en Irlande. Il m'appartient désormais de percer le mystère de la Singularité Ormond grâce aux dessins qu'il m'a légués.

• **Erin :** ma mère. Elle croit que j'ai agressé mon oncle et ma sœur. J'aimerais tant lui prouver mon innocence !

• **Gaby :** ma petite sœur, 9 ans. Elle est ce que j'ai de plus cher au monde. Elle est toujours dans le coma à l'hôpital. Depuis ma visite en avril, elle donne des signes d'amélioration, même si elle est loin d'être tirée d'affaire.

• **Ralf :** mon oncle. Il est le frère jumeau de mon père. Dérouté par son attitude depuis la disparition de ce dernier, je ne peux m'empêcher de me méfier de lui.

- **Bartholomé** : mon grand-oncle. Il a transmis sa passion de l'aviation à mon père. Quand je me suis réfugié auprès de lui dans sa propriété de Kilkenny, il m'a livré de précieux renseignements sur notre famille et conseillé de rendre visite à sa sœur Emily pour l'interroger. Sa mort me laisse inconsolable.

- **Piers** : un jeune homme mort au combat en 1918 pendant la première guerre mondiale. Un vitrail du mausolée de Memorial Park le représente sous les traits de l'ange dessiné par mon père. Je dois à tout prix retrouver le notaire qui possède son testament.

- **Black Tom Butler** : dixième comte d'Ormond et cousin de la reine Elizabeth Ière. Au XVIe siècle, elle lui aurait offert le Joyau Ormond pour le remercier de ses loyaux services.

Les autres

- **Boris** : mon meilleur ami depuis l'école maternelle. Passionné par le bricolage, très ingénieux, c'est un pro de l'informatique. Il est toujours là quand j'ai besoin de lui.

- **Le fou** : je l'ai rencontré la veille du nouvel an. Il m'a parlé le premier de la Singularité Ormond et conseillé de me cacher 365 jours pour survivre.

- **Dep** : le « Dépravé » est un marginal qui m'a sauvé la vie et hébergé dans son repaire secret. Il m'a aidé à récupérer l'Énigme Ormond chez Oriana de Witt et à dérober le Joyau Ormond dans le coffre-fort de Vulkan Sligo.

• **Oriana de Witt** : célèbre avocate criminaliste à la tête d'une bande de gangsters, elle cherche depuis le début à m'extorquer des informations sur la Singularité Ormond. J'ai réussi à lui voler l'Énigme Ormond.

• **Kevin** : jeune homme à la solde d'Oriana de Witt. Il a une larme tatouée sous l'œil.

• **Sumo** : homme de main d'Oriana de Witt taillé comme un lutteur japonais.

• **Vulkan Sligo** : truand notoire, chef d'une bande de malfrats. Il souhaite lui aussi percer le secret de la Singularité Ormond et me pourchasse sans relâche.

• **Gilet Rouge** : le surnom que j'ai donné à Bruno, l'un des hommes de main de Vulkan Sligo, car il en porte toujours un.

• **Zombrovski** : un complice de Vulkan Sligo qui surveille Boris de près. Mon ami l'a surnommé Zombie.

• **Winter Frey** : jeune fille belle et étrange. Après la mort de ses parents, Vulkan Sligo est devenu son tuteur. Elle a beau m'avoir aidé à plusieurs reprises, j'ai du mal à lui accorder ma confiance.

• **Mon sosie** : qui donc est ce garçon qui me ressemble comme deux gouttes d'eau ? Je l'ai déjà croisé trois fois sans pouvoir l'interroger.

• **Erik Blair :** un collègue de mon père. Il se trouvait en Irlande avec lui et pourrait avoir des renseignements sur son secret.

• **Benjamin Galloway :** fausse identité sous laquelle Vulkan Sligo m'a fait interner à l'hôpital psychiatrique Leechwood.

• **Griff Kirby :** fugueur de mon âge, qui traîne avec la bande de Triple-Zéro.

• **Triple-Zéro :** chef d'une bande de voyous. Il n'a que trois doigts à une main.

• **Nelson Sharkey :** cet ancien inspecteur de police m'a contacté sur mon blog. Il affirme vouloir m'aider.

Ce qui m'est arrivé le mois dernier...

1ᵉʳ juin

Après un crash, je réussis à m'extirper de l'épave de l'Orque Ormond avant qu'elle n'explose et à semer mes poursuivants en m'enfonçant dans la forêt.

Parvenu à Big River, une petite ville de campagne, je me cache dans un camp de vacances désert.

5 juin

De retour à Richmond, le fantôme de mon grand-oncle Bartholomé m'apparaît en rêve ! Il affirme que je trouverai les réponses à mes questions sur les mystères qui entourent ma famille.

19 juin

Boris m'installe dans une somptueuse villa de Crystal Beach. Il a rencontré un type prêt à nous fournir la nouvelle adresse de Vulkan Sligo contre quatre cents dollars.

20 juin

Il me faut cet argent car je suis convaincu que Sligo détient le Joyau Ormond. J'appelle Griff Kirby, qui m'avait proposé un boulot bien payé.

Quand je m'aperçois qu'il s'agit de voler la voiture d'une jeune femme et de l'agresser, je m'interpose. Je me fais tabasser par la bande de Triple-Zéro.

24 juin

Boris se procure l'adresse de Sligo. Je me rends chez Dep et lui demande de m'aider à forcer le coffre-fort de Sligo, qui contient sans doute le Joyau Ormond. Jugeant l'entreprise trop dangereuse, Dep refuse.

25 juin

Winter propose de me faciliter l'entrée chez Sligo. Fort de ce soutien précieux, je tente une nouvelle fois de convaincre Dep. Avec succès.

29 juin

Winter nous introduit chez Sligo. Une course contre la montre s'engage tandis que Dep cherche la combinaison du coffre-fort. Il réussit in extremis à l'ouvrir. Le Joyau Ormond étincelle devant nos yeux ! Je découvre aussi une photo sur laquelle Winter porte le bijou autour du cou ! Sligo arrive sur ces entrefaites.

Dep et moi nous sauvons au volant d'un camion. Poursuivis jusqu'au bord d'une falaise, nous sommes obligés de continuer à pied. Dep disparaît dans les broussailles pendant que je m'empare d'un deltaplane abandonné et m'envole dans les airs.

En retournant vers la ville, je suis arrêté par des policiers qui souhaitent m'interroger. Ils me prennent pour Ben Galloway, mais je sais que ma fausse identité ne me protégera pas longtemps.

30 juin

Les policiers veulent me transférer dans un autre commissariat. Je parviens à m'emparer des clés de leur véhicule de patrouille, avec lequel je m'enfuis. Une poursuite infernale me mène au bord de la mer. J'abandonne la voiture, me précipite vers une jetée, saute sur un jet-ski et fonce à pleine vitesse loin de la rive.

À la sortie d'un port, un chalutier surgi de nulle part m'oblige à chavirer. Je me retrouve piégé sous l'eau, prisonnier d'un énorme filet de pêche...

JUILLET

1er juillet
J –184

En mer, non loin de Southport
Australie

00:00

___

Des tonnes d'eau tourbillonnaient autour de moi. Je me suis débattu comme un fou dans l'espoir de déchirer les mailles du filet. Je n'allais pas pouvoir retenir ma respiration plus longtemps. Mes poumons exigeaient de l'air, ma bouche allait s'ouvrir. Le filet se resserrait toujours. Il me comprimait contre les poissons qu'il retenait prisonniers. Nageoires et piquants me lacéraient le visage et les mains.

Désespéré, affolé, j'ai senti mes poumons sur le point d'imploser.

« Remontez-le ! suppliais-je en silence. Je vous en prie, remontez le filet ! Ne me laissez pas me noyer ! »

La panique m'a submergé. *C'était la fin !*

Une secousse brutale suivie d'un balancement m'a indiqué que le filet se déplaçait. Il remontait ! Si seulement je pouvais tenir quelques secondes de plus ! Mais soudain mes poumons se sont convulsés sans que je sois capable de les maîtriser, et j'ai avalé… de l'air ! Un air merveilleux, salvateur.

Le filet venait de crever la surface noire de la mer. Je respirais ! Je l'avais échappé belle. Le lourd chalut a pris de la hauteur en oscillant. Je me suis retrouvé écrasé sous le poids des poissons qui gigotaient autour de moi, mais j'avais survécu, et c'était tout ce qui comptait pour l'instant.

00:04

Brusquement, le fond s'est ouvert dans une gigantesque gerbe d'eau. Tout le chargement, moi compris, a chuté de trois mètres de haut. Les poissons ont glissé sur le pont du chalutier. Étourdi, hoquetant, j'ai atterri sur le dos, avec un bruit sourd, au milieu de cette masse gluante et frétillante. Le souffle rauque, j'ai avalé de grandes goulées d'air en m'étranglant, crachant, toussant. J'étais vivant !

J'ai écarté une daurade de ma figure, secoué les algues collées à mes cheveux, crachoté de l'eau de mer.

Mes lèvres avaient un goût salé. La froide lumière des lampes du chalutier s'est posée sur mes mains sanguinolentes.

– Hé, patron! Visez-moi ça! On a pêché une sirène! a crié un homme.

Des bottes luisantes en caoutchouc noir se sont approchées de ma tête. Un jeune type au visage tanné par les embruns m'observait sous son épaisse tignasse frisée. Il m'a donné un léger coup de pied, comme pour vérifier si j'étais vivant.

– Tu parles d'une sirène, c'est plutôt un triton! a-t-il lancé en rigolant à un autre matelot qui arrivait.

Puis, s'adressant à moi :

– T'as l'air salement amoché, petit. Comment t'as fait pour te fourrer là-dedans?

Soudain, le rugissement d'un mégaphone m'a ramené à la réalité.

– Police! Cal Ormond, vous êtes en état d'arrestation!

J'ai tenté de me relever.

Le deuxième matelot me tournait le dos. Il regardait s'avancer la vedette des garde-côtes, *L'Espadon*.

J'ai scruté les alentours à la recherche d'une issue. Sans succès. Mon sac à dos n'avait pas quitté mes épaules – je n'avais donc pas perdu le Joyau Ormond –, cependant je craignais que son contenu ait souffert de ce séjour sous l'eau.

Un projecteur surpuissant balayait à présent la surface de la mer. Il se rapprochait du bateau sur lequel j'avais atterri. Je devais à tout prix m'échapper ou me cacher! « Réfléchis, Cal, vite! » hurlait une voix dans ma tête.

Le matelot frisé s'est accroupi à mes côtés :

– Hé, petit, t'as des ennuis?

– Y a qu'à le balancer par-dessus bord! a décrété l'autre en s'éloignant.

Puis il s'est arrêté, les poings sur les hanches, a secoué la tête.

– On veut pas de problèmes. On tient pas à ce que les flics viennent fourrer leur nez dans nos affaires.

Moi non plus, je ne voulais pas qu'ils viennent fouiner! Je me suis redressé tant bien que mal, manquant m'étaler de nouveau en glissant dans l'encre d'un calmar.

– On préfère les éviter, tous autant qu'on est, a continué le matelot. À bord, tout le monde fuit quelqu'un ou quelque chose!

J'avais l'impression de connaître cette voix, mais avant que j'aie le temps d'y réfléchir davantage, le capitaine – un vieux barbu au bonnet de laine noir enfoncé jusqu'aux yeux – est apparu, l'air énervé par l'agitation qui régnait sur le pont.

– Qu'est-ce qui se passe? a-t-il demandé avec un fort accent grec. Qu'est-ce qu'ils veulent, les flics? Et d'abord qui c'est, ce gamin?

Les menaces de la police lancées par méga-phone l'ont interrompu. La vedette se rapprochait. Le rayon du projecteur perçait l'obscurité, révélant la surface clapoteuse de la mer et le jet-ski renversé qui flottait à quelques mètres. Les vociférations ont cessé un instant. Le patron du chalutier a reporté son attention sur moi.

– Mille sabords, d'où tu sors, toi?

Claquant des dents, j'ai craché un peu d'eau salée avant de répondre d'une voix entrecoupée :

– Je suis tombé de mon jet-ski et je me suis emmêlé dans les mailles de votre filet. La police me poursuit, il ne faut surtout pas qu'elle m'attrape! Je n'ai rien fait de mal, je le jure!

L'Espadon venait de stopper à notre hauteur. Les avertissements des policiers couvraient le bruit du moteur. Ils allaient me capturer. Comment protéger mes affaires, les dessins, l'Énigme, le Joyau?

Le capitaine s'est brusquement détourné pour crier à ses matelots :

– Eh, vous deux! Je vous paie pas à rien faire! Remuez-vous. Triez la pêche!

Je me suis agrippé au bastingage, prêt à sauter par-dessus bord. Avec un peu de chance, j'arriverais à nager jusqu'à la côte.

– Alors, comme ça, t'es en cavale, a grondé le capitaine.

J'avais trop peur pour parler. Je devinais ce qui allait suivre : il me désignerait aux policiers, me livrerait à eux. Et je passerais mon seizième anniversaire en prison.

L'Espadon se préparait à accoster. Mêlé au bruit des poissons qui, les ouïes béantes, tressautaient toujours autour de moi, le claquement de l'eau contre la coque s'intensifiait.

Que faire ?

J'étais si affolé que j'ai à peine entendu les paroles du capitaine.

– Alors, comme ça, t'es en cavale, a-t-il répété. La belle affaire. Pareil que mes matelots. Tous des voyous !

– Cal Ormond ! a rugi le mégaphone. Rendez-vous !

– Tu ferais mieux de te cacher, et en vitesse ! a sifflé le Grec avant de m'entraîner vers la cabine.

Il m'a poussé à l'intérieur.

00:14

J'ai trébuché dans l'obscurité puis je me suis accroupi, l'oreille tendue.

– Vous n'auriez pas vu un adolescent ? a demandé un des passagers de *L'Espadon*. D'environ une quinzaine d'années. Il n'a pas dû passer loin, il conduisait un jet-ski. Tenez, là-bas, il dérive à l'envers. Le garçon est forcément dans les parages.

J'ai adressé une prière muette au capitaine : « Je vous en supplie, ne changez pas d'avis, ne me dénoncez pas ! »

– J'ai rien vu, a répondu le Grec. En tout cas personne sur un jet-ski. Il est peut-être parti de l'autre côté.

Il me protégeait! Recroquevillé dans la cabine exiguë, j'ai senti mes bras et mes jambes se détendre sous l'effet du soulagement.

Mais mon répit a été de brève durée.

– On monte à bord, a déclaré le policier sur un ton arrogant. Il faut qu'on jette un coup d'œil.

– Vous n'avez pas le droit! a protesté le capitaine.

– Bien sûr que si!

00:19

Tandis que la discussion se poursuivait énergiquement au-dessus de ma tête, j'ai tenté de repérer une planque.

Il ne m'a pas fallu longtemps pour dresser l'inventaire des lieux : quatre étroites couchettes jonchées de vêtements, deux petits placards, un coin douche-toilettes, une cuisine minuscule. À part ça, il y avait un réfrigérateur vrombissant, gluant de sang et d'écailles, ainsi que deux grands congélateurs. Donc aucun endroit où me dissimuler. Je ne pouvais même pas me glisser sous les couchettes.

Le cœur battant, j'ai collé l'oreille contre la porte.

– OK, a cédé le capitaine. Admettons que vous soyez autorisés à inspecter mon bateau. Mais ça ne me plaît pas du tout, monsieur l'agent. On fait juste notre boulot de pêcheurs. On n'a pas de temps à perdre.

Quelqu'un a descendu lourdement les marches menant à la cabine, sans crier gare. C'était le premier matelot, celui aux bottes noires et aux cheveux frisés. Quand il m'a empoigné, j'ai cru un instant qu'il avait reçu l'ordre de me jeter par-dessus bord. J'ai résisté de toutes mes forces jusqu'à ce que je comprenne qu'il m'entraînait vers une autre porte minuscule, découpée dans une cloison derrière l'un des congélateurs. Il l'a ouverte d'une secousse et m'a poussé dans le dos. La chaleur et la puanteur du gasoil m'ont aussitôt assailli.

– Le patron te conseille de rester là !

Deux gros moteurs diesel envahissaient complètement ce réduit obscur. Je ne voyais vraiment pas où me cacher.

– Il y a un trou sous les diesels pour que le mécanicien puisse bosser. Planque-toi !

J'ai rampé dans cet espace noir et puant. J'avais juste la place de me glisser avec mon sac à dos sous les moteurs. Frissonnant et trempé, je me suis aplati de mon mieux.

Le frisé a claqué la porte avant de replacer le congélateur contre elle.

Les policiers ont commencé leur inspection du chalutier. J'ai perçu des voix étouffées, puis un martèlement de pas dans la cabine. On soulevait des objets, les rejetait, on ouvrait et fermait des portes. Les pas se sont rapprochés... Immobile, j'espérais être bien caché.

Cet espoir a été aussitôt anéanti.

– Où sont les moteurs ? a lancé une voix.

J'ai bloqué ma respiration quand le congélateur a été déplacé, révélant l'entrée du local. La porte s'est ouverte. Un rayon lumineux a éclairé l'intérieur. Le visage écrasé contre le sol, j'ai attendu que la lumière ait balayé les moteurs au-dessus de ma tête.

Brusquement, un nuage de vapeur a jailli.

– Y a rien ici, a conclu le garde-côte.

Et la porte s'est refermée.

Je n'ai pas osé respirer normalement avant d'entendre les policiers débarquer du chalutier puis s'éloigner rapidement à bord de *L'Espadon* pour continuer leurs recherches.

01:06

Engourdi, transpirant à grosses gouttes, j'ai donné un coup de pied dans la porte – j'avais patienté assez longtemps, je n'y tenais plus. Elle n'a pas bougé d'un pouce. J'ai donné un nouveau coup de pied, plus fort. Toujours rien.

On m'avait enfermé !

Des bruits de pas m'ont réveillé. Finalement, j'avais dû m'endormir, ou m'évanouir à cause des émanations de gasoil.

– Sors de là ! m'a ordonné le capitaine en ouvrant la porte.

Un filet de lumière est entré dans la pièce. J'ai aspiré une bouffée d'air frais, puis extirpé maladroitement mon corps engourdi et douloureux de sous les machines.

Une fois hors de ma cachette, je me suis appuyé contre le congélateur. Le capitaine ne souriait plus. Son visage était sérieux, dur.

– Ce que tu as fait doit être vraiment moche, a-t-il déclaré. Maintenant, tu as une dette envers moi.

– Merci, vous m'avez sauvé. Je vous jure que je n'ai rien fait de mal. Je suis innocent.

– Mais oui, comme tout le monde, s'est-il moqué avec un rire sarcastique. Eh bien, tu vas travailler pour payer ta dette.

– Travailler pour vous ? Pendant combien de temps ?

Il a haussé les épaules.

– Autant qu'il le faudra, sinon je te livre à la police. Compris ?

J'ai acquiescé. Je n'avais pas le choix. J'avais beau avoir échappé aux mailles du filet de pêche, je restais prisonnier.

– Un de mes gars va te faire le topo. Bouge pas d'ici.

Sur ce, il a rebroussé chemin et disparu sur le pont.

Southport

05:03

Le frisé a sauté les marches d'un bond. Ses petits yeux m'observaient avec curiosité. Il ne semblait pas hostile, pourtant je me méfiais beaucoup de ce qu'il allait me demander.

– Salut, Triton, moi c'est Speed, a-t-il lancé en grimaçant.

Il a sorti un sac de marin d'un filet à bagages.

– On vient d'accoster le quai de la criée.

– Ah bon, ai-je dit, plein d'espoir.

– Alors, Triton, c'est quoi ton histoire ?

– Je m'appelle Tom, ai-je menti.

Il m'a dévisagé un moment avant de déclarer :

– Moi, je préfère Triton. Qu'est-ce que t'as dans ton paquetage ?

– Pas grand-chose. Et toi, c'est quoi ton histoire ?

– Peu importe. En général, si on choisit de bosser sur ce bateau, c'est parce qu'on vous pose pas de questions.

– Tu viens pourtant de m'en poser deux.

Il s'est mis à rire tout en vidant son sac sur l'une des étroites couchettes.

– Exact. Et tu as évité de répondre aux deux. J'ai l'impression que tu vas bien t'intégrer à l'équipage !

Il s'est assis avant de poursuivre :

– Sache que les matelots de passage sur les chalutiers sont souvent en cavale. Que ce soit pour fuir les flics, une gonzesse, ou tout simplement pour prendre le large quelque temps. De toute façon, ce milieu est plein de voyous.

– Comme toi ? ai-je demandé en souriant.

– Pas vraiment. Moi, je suis réglo.

– Moi aussi. J'ai juste besoin de me faire oublier un moment.

Et, haussant les épaules, j'ai ajouté :

– Une histoire de famille.

– Je comprends, mon pote. N'empêche, t'as intérêt à te méfier. Les flics font souvent des descentes sur les quais. Ils cherchent à coincer ceux qui voudraient les semer. Nous, on court après le poisson, et eux ils nous courent après !

Il s'est levé avec un large sourire, la main tendue. Elle était crasseuse et pleine d'écailles, mais je l'ai serrée.

– Bienvenue à bord, Triton. Reste avec moi, ouvre l'œil, et tout devrait bien se passer. Je vais te mettre au parfum.

Il a froncé les sourcils en m'examinant avec attention.

– Tu as déjà bossé sur un bateau ?

– Jamais.

Il a reculé en plissant le nez de dégoût.

– Personne ne sent la rose ici, mais toi, tu pues autant qu'un vieux fond de boîte d'appâts ! Tu veux pas te laver un peu ? Je te filerai des affaires propres.

Il a farfouillé dans son sac et m'a lancé une chemise noire et un bleu de travail.

– Tiens. Cadeau. T'auras qu'à enfiler ça.

Ensuite, il a sorti une serviette de toilette usée d'un placard.

Je l'ai suivi sur le pont, puis sur le quai. Son patron et l'autre matelot étaient occupés à trier le poisson et à le ranger dans des grands bacs en plastique. Le capitaine a levé les yeux vers nous.

– Montre-lui les douches, a-t-il ordonné à Speed. Quand j'aurai le temps, je lui apprendrai à nettoyer et écailler. D'ici là, il fera le rouleur avec toi.

Speed a hoché la tête.

– Le rouleur ? ai-je répété, perplexe.

– Après la vente aux enchères, les rouleurs empilent les caisses sur des chariots qu'ils poussent jusqu'aux aires de chargement, là où attendent les camions.

En arrivant aux douches, Speed m'a désigné une cabine carrelée. Je m'y suis enfermé et me suis dépêché d'examiner l'intérieur de mon sac.

Le ruban adhésif était resté collé au fond. Je l'ai soulevé pour prendre le Joyau Ormond.

31

Je n'en revenais pas. Le bijou avait résisté, tout comme moi ! Ébloui par la beauté de l'émeraude et des autres pierres précieuses, je l'ai admiré une fois de plus, puis retourné pour détailler les motifs de l'envers : une rose rouge et un bouton de rose. Quant aux bords de l'Énigme et des dessins, ils étaient un peu mouillés, mais rien de grave.

J'ai remballé soigneusement mon trésor avant de le replacer sous la bande adhésive. Mon portable, lui, n'avait pas survécu à la baignade forcée. De l'eau zébrait l'écran éteint.

La douche a constitué une véritable épreuve. Sous le jet d'eau, chaque petite coupure me brûlait horriblement. J'avais mal, toutefois savoir mes affaires intactes m'a redonné du courage. Le capitaine bourru m'avait offert une sacrée protection.

– J'ai besoin de sécher mes vêtements, ai-je dit à Speed en sortant.

– Rapporte-les à *L'Étoile. L'Étoile de Mykonos*, c'est le nom de notre chalutier. Tu trouveras bien un endroit où les suspendre. Dépêche-toi !

– Il faut d'abord que je passe un coup de fil. C'est urgent.

Je lui ai montré l'écran plein d'eau de mon portable.

Il a porté la main à sa poche arrière.

– Ça va te coûter cher.

– Combien ?

– Cinq dollars.

– Cinq dollars pour un seul appel rapide?

– Pour un appel urgent, c'est cadeau!

Je n'étais pas en mesure de discuter. En fouillant dans mon sac, j'ai réussi à réunir cinq dollars en pièces. En échange, il m'a tendu son téléphone. Je l'ai dévisagé sans bouger.

– Oh, pigé, a-t-il fait. Ta petite amie, hein? Je t'accorde une minute, pas plus, OK? S'il y a du relâchement dans le boulot, je me fais virer.

J'ai réintégré la cabine de douche et fermé la porte. Boris a répondu aussitôt, comme s'il attendait mon coup de fil.

– Tu ne me croiras jamais! ai-je lâché.

– À qui est le portable avec lequel tu m'appelles? Toutes les forces de police sont en alerte! On a lancé une chasse à l'homme sur les plages et le littoral. Où tu es?

– À la criée.

– Quoi?

– Je t'expliquerai plus tard, je n'ai pas le temps de parler. Il faut qu'on se voie. On a tous les éléments maintenant. L'Énigme, le Joyau.

– Super, mais je suis sérieux, mec, tu dois te planquer! Cache-toi, disparais, fais l'impossible, on se retrouvera quand cette agitation sera retombée.

Speed s'est mis à cogner sur la porte.

– Grouille-toi! Le patron veut savoir pourquoi on ne travaille pas!

– Faut que tu y ailles? a demandé Boris.

– Je te rappellerai.

J'ai raccroché.

– Tu as cinq minutes! a crié Speed lorsque je suis passé devant lui en courant.

Tête baissée, j'ai filé vers le quai où le chalutier était amarré.

Le bateau semblait désert. J'ai grimpé à bord et étalé mes affaires mouillées sur des caisses. Le vent aurait vite fait de les sécher.

La chance me souriait. J'avais échappé à la police, une fois de plus. Cependant Boris avait raison; j'étais recherché dans tout l'État et je devais rester discret. J'espérais au moins qu'Oriana de Witt et Vulkan Sligo ignoraient où je me terrais.

Les avertissements de Speed à propos des descentes de policiers sur les quais m'inquiétaient. Le chalutier serait une bonne planque pour quelques jours, mais je ne pourrais pas m'y éterniser... Il fallait que je voie Boris, qu'on discute du code à double clé maintenant qu'on en possédait les deux moitiés : l'Énigme Ormond et le Joyau Ormond. J'étais aussi curieux d'apprendre s'il avait réussi à retrouver la trace d'Emily, la sœur de mon grand-oncle Bartholomé.

Speed s'est remis à crier. J'ai attrapé mon sac puis sauté du bateau pour le rejoindre.

Nous sommes partis au pas de course vers un coin où s'empilaient des centaines de caisses de poissons. La vente aux enchères battait son plein. Les voix des commissaires-priseurs ton-

naient sous la halle. Acheteurs et vendeurs piéti-
naient le sol humide et glissant.

Nous avons travaillé dur à charger les lourdes
caisses sur des chariots au fur et à mesure
qu'elles étaient achetées, avant de les faire
rouler jusqu'à l'aire de chargement, au milieu
de la foule. Ensuite, nous les avons déchargées
et avons aidé les acheteurs à les ranger à l'arrière de leurs camions réfrigérés.

Nous soulevions une caisse particulièrement
lourde quand Speed s'est plaint :

– Gary était censé nous donner un coup de
main.

– Gary ? L'autre matelot ?

Je l'avais à peine vu, mais son idée de me jeter
à l'eau ne m'avait pas plu !

– Oui. Il travaille avec nous depuis quelques
semaines seulement. Il disparaît chaque fois
que le boulot est pénible. Le patron le garde
parce qu'il a du mal à trouver de la main-
d'œuvre. Je n'aime pas ce type. Il ne m'ins-
pire pas confiance. On peut difficilement faire
confiance aux gens ici, mais lui, je m'en méfie
vraiment.

08:20

Trois heures plus tard, la vente était presque
terminée. Les derniers acheteurs s'en allaient
avec leurs poissons. Derrière nous, d'autres
employés lavaient au jet les surfaces carrelées

et cimentées en pataugeant dans l'eau avec leurs grosses bottes de caoutchouc.

– Je suis content que ce soit bientôt fini, a soupiré Speed en se laissant glisser à terre contre un mur de brique. J'ai besoin d'une pause.

Il a sorti son portable et commencé à écrire un texto.

– Je file au bateau récupérer mes affaires, lui ai-je lancé. Je reviens dans une minute.

08:32

J'ai attrapé mes vêtements, raidis par le sel, pour les fourrer dans mon sac à dos. Puis j'ai bondi sur le quai et couru à la criée.

L'endroit était presque désert. Speed avait disparu. J'ai traîné les deux dernières caisses de requins-tigres à l'arrière d'un fourgon, et tenté de le trouver. Il n'était nulle part.

Un petit homme en salopette – le propriétaire d'un des fourgons que nous avions chargés – m'a alors demandé, en retirant son bonnet de laine et en s'essuyant le front :

– Tu peux me donner un coup de main, fiston ? Si tu m'accompagnes au magasin pour m'aider à décharger la marchandise, je te paierai trente dollars. Un gars était censé me rejoindre, il ne s'est pas montré.

Je ne voyais toujours personne dans les parages, et les trente dollars me tentaient.

– D'accord, ai-je dit.

J'étais gêné de partir sans avertir Speed, toutefois l'occasion était trop belle : je devais en profiter pour filer car je n'avais aucune idée de ce que le capitaine de *L'Étoile de Mykonos* comptait faire de moi.

– Mon magasin n'est pas très loin, a expliqué le petit homme alors que nous quittions la criée dans son fourgon. Je me suis blessé au poignet. Je comptais sur Gary pour décharger la marchandise, mais il m'a laissé tomber.

Gary ? Le matelot dont Speed se méfiait ?

Mike Seafood

08:48

Quelques minutes plus tard, nous nous sommes arrêtés devant une poissonnerie fermée : *Mike Seafood*.

– Mike, c'est moi, a-t-il dit en désignant l'enseigne de sa main bandée.

– Tom, ai-je répondu.

J'ai sauté à terre et contourné le fourgon en observant les alentours, à l'affût d'une voiture de police. La rue était déserte. J'ai commencé à décharger les caisses et à les empiler sur un chariot.

La chambre froide se trouvait au fond de la boutique. Quand Mike a ouvert la porte, une bouffée d'air glacial s'en est échappée. On se serait cru dans un igloo du Grand Nord. Je me suis dépêché de ranger les caisses. Lorsqu'elle franchissait mes lèvres, mon haleine se transformait instantanément en un nuage de givre.

09:25

___

C'était mon tout dernier chargement.

– Porte ces caisses à l'intérieur de la chambre froide et attends-moi ici, d'accord ? Je vais retirer du liquide pour te payer.

Il a désigné un distributeur, au bout de la rue, puis a ajouté :

– Je manque de cash ici.

– Pas de problème.

Je soulevais l'ultime caisse du chariot en frissonnant quand une silhouette, le visage à moitié dissimulé sous une capuche sombre, s'est dressée à l'entrée de la chambre froide et a lancé avec un ricanement sinistre :

– Tu veux un coup de main ?

C'était le deuxième matelot de *L'Étoile de Mykonos*, Gary.

À l'instant où il a posé la main sur la poignée de la porte, j'ai compris, trop tard, pourquoi sa voix m'avait semblé familière. Cette main n'avait que trois doigts !

Avant que je puisse réagir, Triple-Zéro m'a projeté contre le chariot et envoyé valser dans les profondeurs de la chambre froide!

– Je sais qui tu es, Cal Ormond. Tu nous prenais pour des imbéciles ou quoi? s'est-il écrié. Tout le monde te connaît!

Je me suis relevé d'un bond, prêt à l'attaque, me rappelant trop bien les coups qu'il m'avait assenés dans le parking.

– Ta tête vaut de l'or, Ormond. Et tu as une dette envers moi! J'aurais pu tirer mille dollars de la bagnole. Il est temps que tu me rembourses!

Il a brandi son téléphone portable pour me prendre en photo.

Je me suis précipité vers lui, mais il avait déjà reculé et claqué la porte. Mes poings se sont abattus sur le métal.

J'ai agrippé et secoué la poignée, en vain.

– Laisse-moi sortir! Laisse-moi sortir, bon sang!

J'avais beau m'escrimer, l'issue refusait de s'ouvrir. Impossible de me libérer. J'ai cogné de toutes mes forces, hurlé. Triple-Zéro m'avait reconnu sur le bateau et suivi jusqu'ici. Maintenant, il allait montrer ma photo aux policiers.

Prisonnier de la chambre froide, je n'avais plus qu'à attendre qu'ils viennent me cueillir en nombre.

– Mike! ai-je appelé tout en continuant à cogner inutilement sur le battant.

Il allait revenir d'une seconde à l'autre. Il était ma seule chance de fuir avant l'arrivée de la police.

– Mike! Je suis enfermé dans la chambre froide!

Je claquais déjà des dents. Je me suis remis à balancer des coups de pieds, à pousser la porte. Malgré ses charnières rouillées, elle ne bougeait pas d'un pouce. J'ai observé la pièce dans l'espoir de découvrir une autre issue mais, bien sûr, il n'y en avait pas.

J'allais congeler, comme les poissons qui m'entouraient!

Qui me trouverait en premier? Mike? Les policiers? Et dans combien de temps? Sur le mur, un thermomètre indiquait vingt-cinq degrés au-dessous de zéro. J'ignorais si je pourrais tenir une heure de plus.

– Je veux sortir! ai-je hurlé de nouveau en me jetant contre la porte.

Si on ne me libérait pas très vite, j'allais mourir de froid. Plusieurs minutes s'étaient déjà écoulées.

Un début de panique m'a serré le ventre. Il fallait que je m'échappe. Je préférais encore être arrêté plutôt que de finir congelé.

Mes doigts et mes orteils me démangeaient, je ne sentais plus mon nez.

Le froid glacial s'infiltrait à l'intérieur de mon corps, il gagnait mes bras, mes jambes. J'avais mal aux oreilles, à la figure. J'étais transi jusqu'aux os.

Je me suis mis à sauter sur place en agitant les bras pour tenter de me réchauffer. Mais cela ne servait à rien. Je commençais réellement à paniquer, presque autant que la nuit de mon naufrage dans la baie des Lames, lorsque j'étais encerclé par des requins prêts à l'attaque. Des paroles de mon père m'avaient alors traversé l'esprit et permis de surmonter cette épreuve. « Réfléchis, Cal. Réfléchis. »

Je me suis efforcé d'échafauder un plan d'action, cependant j'avais l'impression que mon cerveau congelait lui aussi. Comment franchir une porte fermée à clé, à moins d'être un fantôme ?

À la vue de mes doigts, j'ai été saisi de vertige : ils étaient tout blancs et insensibles. Était-ce le premier stade des engelures ?

Je me creusais désespérément la tête à la recherche d'un moyen d'ouvrir la porte... en vain. J'aurais eu bien besoin de Dep. Où était-il, au fait ?

Je l'imaginais dans son repaire à l'abri derrière les meubles de bureau, assis au milieu de ses piles d'objets trouvés et de bricoles hétéroclites. Cette pensée m'a rappelé quelque chose...

Les détonateurs !

J'ai réussi à faire glisser mon sac de mes épaules puis, de mes doigts gelés et malhabiles, à en sortir la boîte contenant les capsules explosives qu'il m'avait données.

Si j'enfonçais les détonateurs entre le battant et les charnières, et les déclenchais en frappant violemment la porte, j'avais peut-être une chance de m'en tirer.

Mais j'ignorais si la boîte les avait protégés pendant mon séjour sous l'eau. En plus, mes mains étaient tellement paralysées qu'elles parvenaient à peine à la tenir. Je me faisais l'effet d'un bébé se débattant maladroitement avec un couvercle qu'il ne sait pas dévisser.

Accablé par le froid intense, je me suis acharné sur le couvercle. Quand, enfin, il a cédé, je l'ai jeté par terre et j'ai arraché le petit pain moisi qui traînait encore dans la boîte.

Les quatre capsules explosives étaient rangées au fond, à plat.

Sèches.

Intactes.

Il m'a fallu une éternité pour engager les deux premières de part et d'autre des charnières supérieures.

Lorsque j'ai voulu placer les deux autres autour des charnières inférieures, je me suis rendu compte que c'était impossible. La porte s'était déformée, il n'y avait pas assez d'espace entre le montant et le battant.

De nouveau, j'ai appelé Mike. Mais qu'est-ce qu'il fichait, bon sang?

– Au secours, Mike! Je suis enfermé!

Je ne savais plus quoi faire. Jamais je n'avais ressenti un froid aussi pénétrant. J'avais l'impression que mes paupières se desséchaient. Clignant des yeux pour mieux voir, j'ai réussi à glisser les deux derniers détonateurs au bas de la porte.

À présent que les explosifs étaient en place, comment les déclencher? Et comment être sûr que l'explosion serait assez forte pour dégonder la porte vers l'extérieur et non vers l'intérieur, c'est-à-dire sur moi?

Il fallait au moins que j'essaie. Je *devais* les faire sauter.

Le seul outil dont je disposais était le chariot qui m'avait servi à transporter les caisses de poissons.

Je l'ai empoigné avec mes mains complètement engourdies et, rassemblant le peu d'énergie qui me restait, j'ai reculé tout au fond de la chambre froide avant de foncer pour emboutir la porte le plus violemment possible.

Les quatre capsules ont explosé en même temps!

Le choc et le bruit m'ont ébranlé de la tête aux pieds, le souffle de l'explosion m'a collé contre la cloison et des échardes de glace m'ont criblé le visage.

Une décharge d'adrénaline m'a donné la force de me relever aussitôt pour examiner les dégâts. Les charnières supérieures s'étaient tordues, toutefois la porte demeurait bloquée. Alors j'ai forcé mon corps à réagir, à se repositionner derrière le chariot, à foncer, à se jeter une fois de plus sur la porte que j'ai senti vibrer et se déformer.

Hurlant comme un dément, j'ai lancé une troisième attaque. Cette fois, la porte est sortie de ses gonds et s'est écrasée par terre en m'entraînant dans sa chute.

10:04

Il n'y avait personne dans la poissonnerie – ni Mike, ni Triple-Zéro, ni les policiers. J'ai hésité un instant, tandis que mon corps se réadaptait péniblement au changement de température, mais je ne pouvais pas m'inquiéter du chaos derrière moi. J'avais une priorité : me sauver à toute vitesse. J'ai attrapé mon sac et filé.

Tel le monstre de Frankenstein, j'ai franchi le seuil de la poissonnerie d'une démarche bancale et hésitante.

Mon corps reprenait vie peu à peu. Un rapide coup d'œil vers le distributeur automatique de billets m'a renseigné : Mike et Triple-Zéro, chacun un portable à la main, revenaient à grands pas en se disputant.

Secoué d'un frisson, je me suis empressé de disparaître au coin de la rue.

Les hurlements des sirènes n'ont pas tardé à retentir dans le quartier, suivis par les crissements de pneus des voitures de police qui freinaient devant *Mike Seafood*. Sans perdre une seconde, j'ai couru dans la direction opposée, obligeant mes jambes raides et frigorifiées à m'entraîner le plus loin possible. Le plus loin possible des policiers, de l'odeur écœurante du poisson, de mon cercueil de glace.

2 juillet
J –183

0̸7:22

Un bruit lointain m'a réveillé.

Au bout d'un moment, j'ai refermé les yeux et tiré sur moi l'épaisse couverture en laine. J'étais de retour dans la villa du bord de mer – celle dont Boris m'avait donné les clés –, couché sur un tapis moelleux. Après ma folle journée de la veille, j'avais apprécié de prendre une douche brûlante et de m'envelopper dans une couverture trouvée dans une penderie. Roulé en boule par terre, au chaud, j'avais dormi d'une traite.

J'espérais que Boris ne m'en voudrait pas d'avoir enfreint la règle que je m'étais engagé à respecter dans cette maison, c'est-à-dire ne toucher à rien.

J'étais à peu près certain qu'il ne me le repro-cherait pas quand il apprendrait que j'avais failli mourir congelé.

Le clapotement de la mer et les cris des mouettes – ces sons qui autrefois ne me rappe-laient que les bons souvenirs de nos vacances en famille dans la baie des Lames – m'évoquaient désormais de sinistres images : les vagues défer-laient inexorablement l'une après l'autre comme les gangsters qui me poursuivaient, tandis que les mouettes piaillaient et plongeaient en piqué tels des oiseaux de proie.

08:03

Un léger raclement au-dehors m'a brusque-ment mis en alerte. Rejetant aussitôt la cou-verture, je me suis avancé en boitillant sur mes jambes douloureuses afin de glisser un œil furtif entre les rideaux.

C'était l'oncle de Boris ! Il déchargeait du matériel de l'arrière de son break !

Instinctivement, j'ai ouvert mon téléphone portable et cherché à l'allumer, oubliant qu'il était fichu. À ma surprise, il a lancé un bref éclair avant de s'éteindre à nouveau.

J'ai ramassé à la hâte toutes mes affaires et attrapé au passage le combiné sans fil de la cui-sine avant de courir me dissimuler dans le pla-card à linge.

– Tu es fou de m'appeler avec ce téléphone ! s'est exclamé Boris, très énervé. Qu'est-ce que je t'ai dit...

Je l'ai interrompu en chuchotant :

– Tais-toi, écoute-moi une seconde. Ton oncle Sammy vient d'arriver ! Mon portable est nase, il a pris l'eau ; je n'avais pas le choix. Sammy va entrer...

– Où es-tu ?

– Planqué au rez-de-chaussée ! Fais quelque chose ! Je t'en supplie !

Boris a juré avant de raccrocher.

Recroquevillé au fond de mon placard, je me suis demandé si je n'avais pas laissé un indice compromettant dans le salon. Une impression amère de déjà-vu s'est emparée de moi. Je m'étais retrouvé trop souvent dans ce genre de situation.

J'ai perçu des bruits métalliques : Sammy continuait de décharger son matériel de ménage. J'hésitais à jaillir de ma cachette pour me sauver par l'arrière de la maison quand la sonnerie d'un téléphone portable a retenti au-dehors.

La voix qui a répondu était ténue, mais assez distincte pour que je reconnaisse Sammy. Il parlait en ukrainien, sur un ton irrité et contrarié.

Des sons étouffés se sont prolongés deux ou trois minutes, s'achevant sur un claquement de portière et un bruit de moteur.

Je me suis glissé hors du placard à pas de loup, avant de retourner à mon poste d'observation derrière les rideaux. Le break blanc de l'oncle de Boris avait disparu. J'étais de nouveau seul.

Le téléphone de la maison a sonné.

J'ai décroché.

– Boris ?

– Et si c'était pas moi ?

– Tu voulais que je réponde, non ? En tout cas, j'ignore ce que tu as dit à Sammy, mais il vient de partir. Il ne semblait pas content.

– Je sais. J'ai prétendu que j'avais complètement oublié de lui transmettre un message des propriétaires. J'ai raconté qu'un de leurs cousins venait en ville et dormirait plusieurs nuits à la villa. Il valait donc mieux qu'il attende son départ avant de faire le ménage.

– Comment tu as trouvé une telle astuce ? ai-je demandé, impressionné par la réaction ultrarapide de mon ami.

Boris s'est esclaffé.

– Franchement, je l'ai appelé dès que tu m'as prévenu et j'ai inventé ce mensonge au fur et à mesure ! Il était furieux ! Quoi qu'il en soit, tu as au moins une semaine de tranquillité devant toi. Je te promets de t'avertir la prochaine fois que Sammy viendra nettoyer la maison.

J'ai alors mis Boris au courant de tout ce qui m'était arrivé depuis le vol du Joyau chez Sligo.

– J'ai hâte de le voir. Maintenant qu'on possède les deux parties du code à double clé, on comprendra peut-être mieux les dessins.

Je souhaitais qu'il ait raison.

– Il faut qu'on se rencontre, a-t-il ajouté, seulement je dois faire gaffe parce que beaucoup de gens savent que je pourrais les mener à toi. Partout où je vais, ces temps-ci, je sens qu'on me surveille. J'ai aperçu Bruno, alias Gilet Rouge, deux ou trois fois, et Zombie – Zombrovski – m'a dépassé en voiture en faisant mine de m'ignorer. Ils n'ont toujours pas découvert mon issue de secours. Mais, l'autre jour, ma voisine m'a surpris en train de traverser son jardin, et elle s'est mise à hurler après moi.

– Où peut-on se retrouver alors ? Peut-être dans un cinéma ? Si quelqu'un te suit, il pensera que tu vas voir un film. Et si jamais il nous surprend ensemble, on n'aura pas de mal à le semer dans un endroit aussi fréquenté.

– OK, bonne idée.

– Demain, au ciné du centre commercial ?

– Impossible. Plutôt mercredi prochain, après les cours. Je suis très pris cette semaine, entre la famille et les devoirs. En plus, il faut que je rédige ma lettre de motivation pour une demande de stage en entreprise ; je m'arrache les cheveux avec ce truc.

– Pas grave, avec la tignasse que tu as ! ai-je blagué. Bon, OK pour mercredi après-midi.

Il n'a pas relevé.

– Super. Disons à seize heures. En attendant, je vais m'arranger pour effacer la trace de nos appels. Si jamais j'ai besoin de te joindre avant mercredi, je laisserai sonner le téléphone deux fois puis je raccrocherai et je rappellerai aussitôt. Ça marche?

– Ça marche.

19:07

J'ai tiré les lourds rideaux puis allumé la télévision pour regarder les informations. Après quelques nouvelles internationales, j'ai vu apparaître sur l'écran la façade d'un magasin que j'ai identifié aussitôt : *Mike Seafood*. Un policier se tenait devant, entouré d'une foule de journalistes armés de micros. Les questions fusaient de tous côtés, mais il les a ignorées.

– Nous sommes sur le point d'arrêter Cal Ormond, s'est-il contenté de déclarer.

Il rêvait...

La photo que ce sale rat de Triple-Zéro avait prise juste avant de m'enfermer dans la chambre froide a alors empli l'écran, suivie par l'image d'un policier brandissant les restes d'un détonateur, à côté de la porte soufflée par l'explosion. La caméra est ensuite revenue sur la foule amassée devant la poissonnerie. Cernés par des journalistes empressés, se tenaient Mike et le sale rat.

Heureusement, la photo volée de Triple-Zéro était très mauvaise, on ne me reconnaissait pas vraiment. J'étais soulagé que la police ne soit pas arrivée à temps pour me passer les menottes, et cela m'amusait que cette ordure n'ait pas pu toucher la récompense promise pour ma capture. Néanmoins, il avait désormais une raison supplémentaire de vouloir ma peau.

20:40

Je suis resté assis une éternité à contempler les vagues se briser sur la plage, tout en m'efforçant de me vider la tête. Puis je me suis mis à errer dans la maison, à la recherche d'une distraction.

Personne ne pouvait se douter que je me cachais dans une luxueuse villa composée de sept chambres et cinq salles de bains, et emplie de meubles magnifiques, d'objets précieux et d'œuvres d'art valant probablement des centaines de milliers de dollars...

Il y avait même une salle de projection équipée de trois rangées de fauteuils inclinables d'un rouge profond, disposés en gradins devant un immense écran.

Je n'avais pas d'argent, mes vêtements tombaient en loques, j'étais un fugitif traqué par la police et malgré tout, grâce à Boris, j'avais trouvé refuge dans une demeure de prince.

Et je comptais bien en profiter.

J'ai fait très attention à tous mes gestes de façon à ne laisser aucune trace de mon passage, puis je me suis affalé dans un fauteuil, au centre du premier rang.

La jaquette du DVD que j'ai choisi, *Bonnie and Clyde*, m'a fait penser à Winter. Un lien étrange nous unissait : nous étions tous les deux différents des autres, tous les deux hors-la-loi, en cavale, livrés à nous-mêmes. Comme Bonnie Parker et Clyde Barrow. Pourtant la photo que j'avais dénichée dans le coffre-fort de Sligo – sur laquelle elle portait le Joyau – me perturbait.

Était-elle au courant de l'existence du bijou depuis le début ?

M'avait-elle menti ?

En même temps, Winter nous avait aidés à pénétrer chez Sligo. Elle semblait tenir à ce que je m'en sorte sain et sauf avec le Joyau en *ma* possession.

Ce n'était pas le moment d'y réfléchir, le film commençait.

3 juillet
J –182

Je me suis réveillé en sueur, vautré sur le fauteuil incliné où j'avais sombré dans le sommeil après le film. Mon vieux cauchemar était revenu me tourmenter.

Des ombres étranges envahissaient la salle. J'ai bondi de mon siège et vite regagné le salon, à ma place, sur le tapis, tentant de chasser de mon esprit le chien blanc en peluche et les pleurs du bébé. Puis, soudain, je me suis rendu compte qu'un véritable bébé pleurait quelque part, dans le voisinage.

Assis par terre, blotti contre le mur, j'ai tenté de me persuader que tout allait bien.

Cependant, je ne me faisais pas d'illusions. Ce cauchemar sinistre à l'atmosphère oppressante ne me lâcherait pas aussi facilement.

Le monde dans lequel il me plongeait ressemblait trop à celui qui m'entourait : une maison vide et obscure, les pleurs d'un bébé. Un être perdu, abandonné. Exactement comme moi.

Tout à coup, je me suis souvenu du titre de l'article que j'avais découvert chez mon grand-oncle Bartholomé : « LE CAUCHEMAR DES BÉBÉS JUMEAUX KIDNAPPÉS ».

Pourquoi m'avait-il empêché de le lire ?

Ces bébés avaient-ils un rapport avec moi... et mon cauchemar récurrent ?

À quoi Bartholomé pensait-il, au moment de mourir, quand il avait dit que j'étais l'un des deux ? Sa langue avait-elle fourché ? Plus j'y songeais, plus je me sentais envahi d'un malaise.

Des *jumeaux*. Le visage de mon sosie flottait devant mes yeux. C'était *mon* visage.

Mon père et Ralf étaient jumeaux. Et moi ? L'idée d'avoir un frère jumeau disparu depuis longtemps me paraissait absurde. Si seulement je pouvais appeler ma mère pour lui demander des explications.

Je me suis écroulé sur mon duvet. Pour l'instant, je ne pouvais rien faire.

5 juillet
J –180

Le téléphone sonnait. J'ai patienté, espérant que c'était Boris. Deux sonneries, plus rien. Puis de nouveau une sonnerie. J'ai aussitôt décroché.

– Erik Blair est revenu! Ce matin, en me rendant au lycée, je suis passé devant le bureau de ton père et j'ai aperçu un inconnu entrer dans l'immeuble. C'est son air maladif qui a attiré mon attention, l'air de quelqu'un qui n'a pas vu le soleil depuis longtemps.

– Et ensuite? l'ai-je pressé, de plus en plus excité.

– Ensuite? Une femme a couru derrière lui en criant Erik! C'était *forcément* lui. Tu dois absolument le rappeler.

– OK, je vais essayer de le contacter depuis une cabine téléphonique.

– Super. Je te laisse. On se voit mercredi.

Quartier de Crystal Beach

13:09

Il m'a fallu un bon moment avant de trouver une cabine dans le quartier. Je suis entré dans la première que je voyais et j'ai composé le numéro de la société à toute vitesse.

– Bonjour, pourrais-je parler à Erik Blair, s'il vous plaît ? ai-je demandé dès qu'on a décroché.

Je n'ai pas reconnu la voix soupçonneuse de la standardiste qui m'avait répondu la dernière fois – j'avais de la veine, c'était une nouvelle.

– Un moment, je vous prie.

J'attendais cet instant depuis longtemps, mais je ne savais pas trop ce que j'allais dire à Erik. J'ignorais la façon dont il réagirait en apprenant qui j'étais.

La même voix a retenti, impersonnelle :

– Ne quittez pas, je vous passe votre correspondant.

Je n'arrivais pas à le croire. Je tenais enfin ma chance ! J'allais m'entretenir avec l'homme qui avait accompagné mon père en Irlande.

– Allô ? Erik Blair à l'appareil, a fait une voix faible et hésitante.

– Mr Blair, me suis-je empressé de répliquer. J'essaie de vous joindre depuis un certain temps...

Incapable de m'exprimer, je me suis mis à bredouiller.

– Oui ? Que puis-je pour vous ?

– Je vous en prie, ne raccrochez pas quand vous saurez qui je suis. J'ai vraiment besoin de votre aide et j'espère que vous pourrez me renseigner.

– À quel propos ? a-t-il demandé.

Son ton avait changé. Il me semblait correspondre un peu mieux à celui de l'homme direct et plein d'assurance qui téléphonait à mon père.

– Je suis le fils de Tom Ormond.

Il a laissé s'écouler un long silence, avant de poursuivre à voix basse :

– Cal ?

– Oui.

– Je suis vraiment navré pour ton père, Cal. Moi-même, j'ai été souffrant... j'ai un peu... euh... perdu contact avec le monde. Je suis néanmoins au courant de tes problèmes. Tu sais, c'est le premier jour de mon retour au bureau et je préférerais te parler dans un contexte plus discret. Donne-moi ton numéro de téléphone, je te rappellerai dès que possible.

– Ce serait génial. J'ai tant de questions à vous poser sur votre voyage en Irlande. Et, surtout, ne croyez pas un mot de ce qu'on raconte sur moi. Tout est faux.

Il a noté mon numéro de portable et raccroché.

J'étais déjà à mi-chemin d'Enid Villa quand je me suis rendu compte qu'il ne pourrait jamais me joindre sur mon portable.

7 juillet
J –178

Cinéma Star

15:48

Un peu avant seize heures, tête baissée, évitant le regard des passants, je me suis posté devant l'entrée du cinéma. Personne ne m'a prêté attention. Pour une fois, j'étais un ado parmi d'autres, ayant rendez-vous avec un ami pour aller voir un film.

J'avais réussi à repousser « le cauchemar des bébés jumeaux kidnappés » dans un coin de ma tête ; en revanche, oublier Winter était impossible. Me revenaient sans cesse à l'esprit ses longs cheveux noirs et le petit oiseau tatoué à l'intérieur de son poignet. Je n'arrivais pas à chasser de ma tête cette photo où elle portait une robe argentée, le Joyau Ormond autour du cou.

Si elle avait connaissance de son existence depuis le début, pourquoi ne l'avait-elle pas dit ? Il y avait forcément une explication.

16:11

Boris n'était toujours pas là. Il aurait pu se dépêcher. Cette attente en public me rendait nerveux. Je repensais au mystérieux avertissement que j'avais reçu : « Si l'héritier meurt avant le jour de ses 16 ans... »

J'ignorais qui était « l'héritier », en revanche mon seizième anniversaire, le 31 juillet, approchait. Je sentais confusément que ce message me désignait et que je constituais une cible plus visible que jamais.

Le mois de juillet me rappelait aussi la disparition de mon père, mort quelques jours avant mes quinze ans. Mon anniversaire avait été affreusement triste. Ma mère, accablée de chagrin, errait dans la maison tel un fantôme. Gaby et elle avaient tout de même tenu à le célébrer : elles m'avaient préparé un gâteau et offert un skateboard génial, seulement c'était trop tôt. Le parfum des fleurs de l'enterrement embaumait encore la maison.

Lorsque nous nous étions assis tous les trois à table, éclairés par les bougies de mon gâteau, il nous avait été impossible de détacher les yeux de la chaise vide à côté de la mienne. Gaby la fixait d'un air désespéré.

– C'est pas juste, s'était-elle écriée. Comment on peut fêter un anniversaire sans papa ? Pourquoi il nous a laissés tout seuls ?

Ma mère nous avait serrés dans ses bras. À travers ses larmes, elle avait déclaré que mon père serait toujours là, dans nos cœurs. Que nous devions être courageux, continuer à vivre sans lui, nous soutenir les uns les autres, parce qu'il aurait été trop triste de nous voir nous effondrer.

16:15

Mon sac vibrait. Perplexe, j'ai sorti mon portable. Une lueur vacillait sur l'écran maculé. Un message est apparu sous l'image grimaçante d'une tête de mort :

J'ai voulu visualiser le numéro de l'expéditeur, mais mon téléphone s'est à nouveau éteint. Inquiet, j'ai observé les alentours : quelqu'un me surveillait-il en ce moment même ?

Ma capuche enfoncée sur la tête, je me suis éloigné en vitesse du cinéma et engouffré dans la première rue transversale, puis j'ai couru sans m'arrêter pendant cinq ou six cents mètres. Une fois dans le quartier de la Gare Centrale, je me suis précipité dans une cabine téléphonique pour appeler Boris.

– Je viens de recevoir un message : une tête de mort qui dit « JE TE TIENS ! » J'ai quitté le cinéma, je suis dans une cabine, près de la gare. Je ne savais même pas que mon portable fonctionnait encore !

– Jette ce téléphone ! Je t'en apporterai un autre. Qui avait ton numéro ?

– Peut-être Sligo, par Winter. Il a pu se douter qu'elle m'aidait et il l'aura trouvé sur son portable.

– Ou bien c'est *elle* qui le lui a donné.

– Non. Elle est de notre côté.

Je n'avais toujours pas parlé à Boris de la photo découverte dans le coffre-fort. Cela aurait renforcé ses soupçons.

Boris avait été retenu chez lui et il était trop tard à présent pour le rejoindre au cinéma. Nous sommes tombés d'accord pour remettre notre rendez-vous au lendemain, dans un endroit différent.

Il a insisté une fois de plus pour que je me débarrasse de mon portable, au cas où quelqu'un me pisterait grâce à lui.

J'ai fait mieux. En moins de trois minutes, je suis entré en douce dans la gare, descendu sur un quai où j'ai glissé mon téléphone par la fenêtre ouverte d'un train avant de me fondre dans la foule.

Si Vulkan Sligo ou Oriana de Witt disposaient d'un appareil capable de localiser mon portable à moitié fichu, ils en concluaient que je m'éloignais vers l'ouest, à toute vitesse.

Bartholomé m'avait appris cette stratégie avec son Baron noir. J'avais retenu la leçon.

8 juillet
J –177

15:56

___

L'adresse donnée par Boris se situait dans une zone industrielle où de rares immeubles d'habitation se mélangeaient aux hangars.

Je n'ai pas tout de suite reconnu mon meilleur ami. En m'approchant des Entrepôts Titan, j'ai aperçu une silhouette en combinaison blanche et lunettes de soleil à verres réfléchissants se détacher du mur en agitant des clés. C'était lui. Il avait posé son sac par terre, à côté de plusieurs pots de peinture.

– Mon oncle Sammy loue un grand local chez Titan pour stocker son matériel. Il m'a demandé d'y déposer ces pots. C'est pas mal de se rencontrer ici, on évite d'attirer l'attention sur la villa. Tiens, dépêche-toi de mettre ça.

Il m'a lancé une combinaison blanche identique à la sienne.

– Il vaut mieux qu'on ait l'air de bosser, tous les deux.

Avant de l'enfiler, j'ai jeté un coup d'œil autour de moi pour m'assurer que nous n'étions pas surveillés.

Boris a déverrouillé la grille de l'entrée principale du bâtiment et nous avons longé une allée jusqu'au local de Sammy, fermé par un rideau métallique. Une fois à l'intérieur, Boris a allumé la lumière puis rabaissé complètement le rideau.

Hormis trois aspirateurs industriels, quelques caisses et cartons, la pièce était à peu près vide.

Boris a sorti de sa poche un téléphone portable et un bout de papier.

– Tiens. Il est clean. On est les deux seuls à connaître ce numéro. Surtout ne le communique à personne.

Il m'a observé par-dessus ses lunettes de soleil et a avancé deux caisses en guise de tabourets.

– Les flics peuvent localiser avec précision la zone d'où émet un portable, a-t-il poursuivi, à condition de connaître ton numéro. Or je ne vois qu'une seule personne capable de te trahir, j'en ai bien peur...

– Winter a risqué gros pour nous aider à récupérer le Joyau, ai-je protesté.

– Qu'elle soit impliquée ou pas, a continué Boris d'un ton agacé, Vulkan Sligo te colle aux talons, mec. Et il doit t'en vouloir à mort depuis ton cambriolage avec Dep.

C'était probablement vrai. J'ai acquiescé, puis préféré changer de sujet pour chasser cette perspective sinistre :

– Au fait, j'ai téléphoné à Erik Blair. Il a promis de me rappeler.

– Comment ça, te *rappeler* ?

– Il n'avait pas le temps de me parler, je lui ai donné mon... oh, non !

Winter n'était pas la seule à avoir mon numéro.

– Mon portable ne marchait pas de toute façon, ai-je tenté de me justifier.

Furieux, Boris s'est levé en secouant la tête. Il s'est mis à arpenter le local de long en large.

– Peu importe, tu es malade de lui avoir filé ton numéro ! Tout ce qu'il sait de toi, c'est que tu as tenté de trucider ta famille ! Même s'il était un ami de ton père, comment être sûr que tu peux lui faire confiance ? Si ça se trouve, il est allé tout droit chez les flics !

Mon meilleur ami s'est arrêté, les mains sur les hanches. Il a respiré à fond, puis a continué plus calmement :

– Écoute, vieux, il faut que tu sois plus prudent. Sérieux. Tu ne dois te fier à personne. OK ?

– Tu as raison, Boris, j'ai agi comme un imbécile. Heureusement que tu m'as donné ce nouveau portable, je te remercie une fois de plus.

J'ai rangé le téléphone avant de reprendre :

– Il faut que je quitte Richmond, que je rende visite à Emily. D'après Bartholomé, elle détiendrait des renseignements intéressants. Bizarre : c'est ma grand-tante, pourtant je ne sais quasiment rien d'elle.

– Oui, bizarre, a répété Boris en enlevant ses lunettes de soleil et en haussant les sourcils. Tu veux aller la voir ? Comment tu comptes faire ?

Il me posait une vraie colle. J'ignorais même où elle vivait ! L'air triomphant, il a tiré de son petit carnet noir une feuille de papier pliée en deux qu'il m'a plaquée dans la main.

– Qu'est-ce que tu dis de ça ?

C'était une capture d'écran dont il avait surligné une partie en jaune.

– J'ai cherché Emily Ormond dans un annuaire en ligne et j'ai réussi ! Enfin un truc simple et facile.

À côté du nom de ma grand-tante, Emily Butler Ormond, était imprimée une adresse : « Manressa, Radcliffe », malheureusement elle n'avait pas le téléphone.

– Elle doit habiter une propriété dans le genre de Kilkenny, ai-je supposé en pensant à la maison de mon grand-oncle Bartholomé. Je n'ai plus qu'à trouver le chemin de Radcliffe.

Boris a sorti son ordinateur portable qu'il a allumé et tourné vers moi. Une carte s'est affichée sur l'écran.

– Tiens, voilà Radcliffe. C'est au nord, à une centaine de kilomètres à l'intérieur des terres. Le voyage sera long.

– Tu es formidable, Boris, vraiment un super pote. Merci mille fois.

– De rien.

Un jour, j'arrêterais de sauter d'un train à l'autre, de faire du stop, de marcher pendant des heures. Mais en attendant, tant que je n'avais pas percé l'énorme secret découvert par mon père, je devais continuer à fuir. *Trois cent soixante-cinq jours*, le fou croisé la veille du jour de l'an m'avait prévenu. La mystérieuse Singularité Ormond prendrait fin le 31 décembre. Il me restait moins de six mois à tenir le coup. J'avais vraiment hâte d'en finir afin de me retrouver sain et sauf chez moi, avec ma famille.

– Comment vont ma mère et Gaby ? ai-je demandé en me redressant.

– Même si Gaby est toujours dans le coma, elle donne des signes d'amélioration. Ta mère et Ralf se raccrochent au moindre battement de ses cils, au moindre frémissement de son corps. Ils sont sûrs qu'elle se réveillera un jour. Elle a été transportée chez Ralf. Apparemment ils ont engagé une infirmière spécialisée qui s'occupe d'elle à plein temps. Ralf a fait abattre une cloison entre deux pièces du premier étage pour créer une grande chambre capable d'accueillir

71

un lit médicalisé et du matériel électronique. D'après les médecins, ta sœur a de bonnes chances de guérir. Mais ce sera très long.

J'étais stupéfait.

– Elle est chez Ralf ?

– Oui. Il paraît qu'un environnement familial peut l'aider à sortir du coma.

– Elle a parlé ?

Boris a grimacé et secoué la tête.

– Et ma mère ? Elle va mieux ?

Il a hésité avant de répondre :

– Disons qu'elle ne va pas mal. Elle et Ralf, euh… semblent très bien s'entendre.

À ces mots, j'ai senti avec angoisse mon cœur se serrer.

– Comment ça, très bien ?

Gêné, mon ami s'est tortillé avant de se gratter la tête. Ma question l'embarrassait tellement qu'il a détourné les yeux. Cette réponse m'a suffi. Je détestais l'idée que ma mère et Ralf s'entendent *très bien*.

J'étais content que mon oncle l'aide, s'occupe de la maison pour qu'elle et Gaby se sentent mieux, cependant j'aurais préféré que tout redevienne comme avant. Le fait que Ralf ressemble trait pour trait à mon père – ils étaient de vrais jumeaux – rendait la situation encore plus détestable. Comme si mon père avait été remplacé par une version altérée de lui-même.

Quand Boris a repris la parole, son expression avait changé.

– Allez, mec. Au boulot. Montre-le-moi. Que je le contemple enfin, ce fameux Joyau.

J'ai attrapé mon sac et sorti avec précaution le Joyau Ormond. Il couvrait presque entièrement la paume de ma main. L'émeraude ovale étincelait.

D'un geste lent et délicat, Boris l'a saisi pour le faire tourner entre ses doigts. Lorsqu'il a soulevé le fermoir pour l'ouvrir, les rubis ont lancé des éclairs. À l'intérieur est apparu le portrait miniature d'une femme aux cheveux d'un roux mordoré, portant une couronne et un collier.

– Elizabeth Ière d'Angleterre !

Il a refermé le médaillon et l'a posé sans le quitter des yeux.

Moi non plus, je ne pouvais en détacher mon regard.

Animé d'un pouvoir, ce bijou me fascinait. Il m'attirait comme un aimant. On aurait dit un talisman médiéval recelant un gigantesque secret qui attendait, depuis des centaines d'années, d'être assemblé à l'Énigme, puis décodé par la bonne personne.

– Je vais te confier tout ce que je sais à propos du Joyau, ai-je annoncé à Boris. Mon grand-oncle Bartholomé connaissait son existence, sauf qu'il le croyait disparu depuis très longtemps – desserti et vendu. Un de ses vieux livres en donnait la description exacte. D'après lui, l'Énigme Ormond et le Joyau Ormond constituent les deux moitiés d'un code à double clé.

– OK. Il ne reste donc qu'à résoudre l'Énigme et déchiffrer le code en se référant à ce bijou fantastique. On comprendra alors la Singularité Ormond. Hummm. On dirait que tu vas avoir besoin d'un génie.

Avec un large sourire, il a relevé le menton, d'un mouvement signifiant qu'il était l'homme de la situation.

– Tout juste. Tu sais où je pourrais en dénicher un, par hasard ?

Il a éclaté de rire et s'est mis à fouiller son sac.

– Chaque famille possède son secret, mais celui-là doit être colossal pour être tellement bien protégé.

– Et aussi pour que tout le monde veuille le percer.

Boris a étalé par terre les épreuves des photos enregistrées sur la clé USB de mon père.

– Je les ai imprimées pour toi. Allons-y, confrontons les deux moitiés de ce code à double clé et voyons ce qu'on obtient.

J'ai sorti à mon tour les dessins pour les aligner d'un côté du Joyau Ormond. Ensuite, j'ai posé le parchemin de l'Énigme de l'autre côté.

– Bon, alors ? ai-je commencé en réfléchissant tout haut. Les images de l'ange nous mènent au mausolée de Piers Ormond. Un dessin nous indique de chercher une chose qu'on peut porter : le Joyau Ormond. Il existe une connexion entre le dessin du garçon à la rose et la rose émaillée au dos du Joyau. Quant au Sphinx, il pourrait évoquer l'Énigme, mais on ignore ce que signifie ce buste de Romain.

J'ai tapoté le dessin du maître d'hôtel, le butler au black-jack.

– Mon père souhaitait sans doute désigner Black Tom Butler. La reine a offert le Joyau à un certain Black Tom, dixième comte d'Ormond.

Boris a levé les yeux vers moi.

– On nage en plein cœur de l'Histoire !

Un frisson d'excitation m'a parcouru.

– Effectivement. Et ces objets sont autant d'indices pour percer le secret, Boris. Tout est là.

Je me suis repris en pointant le bas de l'Énigme, amputée de ses deux derniers vers :

– Enfin, presque tout.

Je ne tenais pas en place. De plus en plus fébrile, je me suis mis à arpenter la pièce, hanté par le regard désespéré de mon père durant ses derniers jours à l'hôpital après son retour d'Irlande. Il avait tant d'informations à me révéler et j'étais incapable de les comprendre.

Aide-moi, papa.

J'ai changé certains dessins de place.

– Tiens! Il y a un « 5 » sur celui-ci, et un « 5 » aussi sur cette photo, a décelé Boris en se penchant pour examiner les images de plus près.

Puis, me montrant l'une d'elles d'un air surexcité, il s'est écrié :

– Cette porte ornée que ton père a dessinée, il pourrait s'agir de cette armoire!

À cet instant, Boris a remarqué mes mains écorchées par les poissons et les mailles du filet de *L'Étoile de Mykonos*.

– Mais qu'est-ce qui t'est arrivé?

Après une seconde d'hésitation, je lui ai tout raconté en détail : l'agression dans le parking à cause de Griff Kirby; le vol du bijou, en compagnie de Dep; notre fuite; mes aventures avec la police de Southport, la poursuite en voiture, le jet-ski, la chute, le filet de pêche... pour finir enfermé par Triple-Zéro dans la chambre froide de *Mike Seafood*.

– Tu as de drôles de fréquentations, je trouve.

– Je fais ce que je peux pour éviter les ennuis... et rester en vie.

– Tu as eu des nouvelles de l'ex-inspecteur de police qui t'avait contacté sur ton blog?

– Nelson Sharkey? Pas pour l'instant.

Boris me sidérait par sa capacité à se rappeler tant de détails.

J'ai ramassé la photo de mon père posant devant des ruines.

76

– Dès que j'aurai l'occasion de parler à Erik – s'il est de notre côté –, je pense qu'il m'aidera à combler beaucoup de lacunes sur ce voyage en Irlande. En plus, je suis certain d'obtenir des renseignements complémentaires à Radcliffe.

– Je crois que tu as raison de quitter la ville. Et j'ai oublié : avec ton portable neuf, tu peux te connecter sur Internet ! Plus besoin d'aller dans les cybercafés.

– Génial !

J'ai sorti mon nouveau téléphone pour l'examiner de près.

– Comment tu peux acheter des trucs pareils ?

– T'inquiète. Tiens, prends ça aussi avant que je change d'avis !

Il m'a tendu cent dollars.

Je n'en revenais pas.

– Je me fais pas mal de fric sur eBay en ce moment, sans compter les cours particuliers et le boulot pour Sammy. J'ai eu ce portable à un prix très intéressant : le vendeur le croyait trop amoché pour être réparé, il ne l'était pas pour moi ! Bon, te voilà maintenant avec de l'argent, un téléphone sûr et une mission à remplir. En plus, on a de l'avance sur les gangsters de Vulkan Sligo et Oriana de Witt puisque nous sommes les deux seuls à connaître la signification de ces images et à posséder l'Énigme et le Joyau.

Je me suis tu. L'affirmation de Boris n'était pas exacte. Il m'a regardé fixement :

– Nous sommes les deux seuls, hein ?

– Winter sait que le Joyau appartenait à un de mes ancêtres, ai-je avoué.

– Quoi ?

– Du calme, Winter est réglo. Tu ne la connais pas aussi bien que moi.

– Ça c'est sûr !

Se relevant d'un bond, Boris a balancé un coup de pied dans un bout de bois qui avait servi à mélanger de la peinture. Le bâton a heurté le mur et rebondi sur le sol en soulevant un petit nuage de poussière.

– Je savais qu'on n'aurait jamais dû se fier à cette fille qui n'est qu'une menteuse, une tricheuse et une traîtresse ! Elle nous tourne autour avec ses mines enjôleuses, ses cheveux constellés de paillettes, et prétend nous aider alors qu'elle nous prend en réalité pour deux idiots ! Elle noue une amitié bidon avec toi et, derrière ton dos, elle rapporte tout à Sligo. Tu es taré ou quoi ?

– Une minute ! C'est elle qui nous a parlé d'un code à double clé ! Tu dérailles, mon pote.

J'étais furieux contre Boris.

Il m'a tourné le dos et s'est concentré sur son ordinateur. Au bout d'une ou deux minutes, il a écarquillé les yeux de surprise.

– Dites-moi que je rêve ! s'est-il exclamé.

Je me suis penché par-dessus son épaule pour observer l'écran. Winter avait laissé un message sur mon blog.

B L O G	Déconnexion
Cal Ormond	Petit Oiseau :
	Je n'arrive pas à te joindre, qu'est-ce qui s'est passé?
Écrire à Cal	
	T OK ?
Laisser un commentaire	
	Inquiète de ne pas avoir de nouvelles. Appelle-moi.
	W.

– Surtout, tu ne l'appelles pas! s'est aussitôt écrié Boris.

Heureusement qu'il ignorait tout de la photo que j'avais découverte dans le coffre-fort. C'était la seule raison pour laquelle je n'avais pas contacté Winter.

Je me suis écarté sans faire le moindre commentaire, même si, en mon for intérieur, j'avais plus que jamais envie de téléphoner à « Petit Oiseau ».

Une minute plus tard, Boris m'a montré à nouveau l'écran.

Un article incroyable a surgi.

Je n'en croyais pas mes yeux!

Mon plan s'effondrait et, de seconde en seconde, l'angoisse m'envahissait.

Cal Ormond
moins innocent qu'il n'y paraît

L'ASSASSIN-BLOGUEUR NARGUE LA POLICE

Jeudi 8 juillet, 14 h 27

Déjà recherché dans tout l'État pour meurtre, tentative de meurtre et destructions en tous genres, Cal Ormond diffuse sur le Net, par l'intermédiaire de son blog, des messages clamant son innocence et il ne cesse de narguer les autorités.

« Cal Ormond aime jouer avec la police, a déclaré aujourd'hui l'inspecteur McGrath, mais notre étau se resserre. Bientôt il sera sous les barreaux. »

Rappelons que le dangereux adolescent s'est récemment rendu coupable d'un délit de fuite après avoir usurpé l'identité de Benjamin Galloway, un patient échappé d'un hôpital psychiatrique. L'inspecteur McGrath précise que la présence policière a été renforcée sur tous les axes routiers de Richmond.

Articles sur le même sujet
Haut de page | Page suivante >>

J'ai relu la conclusion de l'article plusieurs fois et poussé un juron. Le voyage jusqu'à Radcliffe promettait d'être difficile.

– Je ferais mieux de ne pas traîner, ai-je déclaré en rassemblant dessins, photos, Énigme et Joyau.

Après quelques secondes d'hésitation, je les ai donnés à Boris.

– Je préfère ne pas les emporter avec moi... est-ce que je peux te les confier?

Boris a acquiescé, refermé son ordinateur, puis commencé à ranger mes affaires dans son sac. Bien qu'il fût mon meilleur ami, j'éprouvais l'étrange sentiment de perdre une partie de moi-même en lui remettant ce que je possédais de plus précieux.

Finalement, j'ai repris les dessins, le seul lien qui me rattachait à mon père.

Nous avons regagné la porte des Entrepôts Titan. À l'extérieur, je m'attendais à voir un rayon de soleil, or il faisait déjà nuit noire.

Conscient de l'importance du contenu de son sac, Boris l'a tapoté d'un geste protecteur. Puis il m'a tendu la main :

– Bonne chance, mon pote.

9 juillet
J –176

`11:56`

J'ai appelé Winter, j'avais besoin d'explications pour la photo où elle portait le Joyau.

– C'est Cal.

– Enfin! Depuis le temps que j'essaie de te joindre... J'ai obtenu une info primordiale.

Dès que j'ai entendu sa voix, mon cœur s'est serré. Une excitation mêlée de suspicion m'a saisi.

– Je t'écoute.

– Une inscription figure à l'intérieur du Joyau. J'ai surpris Sligo au téléphone, il parlait d'une « indication cruciale ».

– Une indication de quoi?

– Il n'a pas précisé.

Elle s'est tue un instant avant de demander :

– Qu'est-ce que tu as ?

– J'ai découvert une photo de toi dans le coffre-fort de Sligo.

– Qu'est-ce que tu racontes, Cal ?

– Tu avais une robe argentée et, autour du cou, tu portais le Joyau Ormond.

– Quoi ?

Son étonnement semblait sincère.

– Tu m'as parfaitement entendu. Je veux savoir pourquoi tu prétends n'avoir jamais vu ce bijou. Pourquoi tu m'as menti.

– Je ne t'ai pas menti, Cal ! Je n'ai jamais vu ce bijou ! Je te l'aurais dit, sinon ! Pourquoi je t'aurais aidé à entrer chez Sligo, quitte à me mettre en danger ? C'est ridicule !

– Et pourtant tu portais…

– J'ignore de quoi tu parles ! Je n'ai jamais vu le Joyau. *Jamais.*

– J'aimerais te croire, Winter, mais j'ai vu cette photo de mes propres yeux.

Après quelques secondes de silence, elle a repris doucement, comme si elle réfléchissait tout haut :

– J'ai peut-être une idée. L'année dernière, Sligo a demandé à un photographe profession-nel de faire mon portrait dans cette robe que j'adore. Par contre, j'en suis absolument cer-taine, je n'avais rien autour du cou. Même pas le médaillon de mes parents.

84

– Alors comment expliques-tu la photo du coffre ?

– Réveille-toi, Cal ! On peut retoucher n'importe quoi avec un logiciel de traitement d'image ! Ça ne m'étonne pas de Sligo, lui et son rêve pathétique de respectabilité ! Tu sais qu'il compte organiser chez lui le bal du conseil municipal, pour le jour de l'an ? Il souhaite siéger avec les conseillers de la ville, se pavaner entre le maire d'un côté et moi de l'autre. Cet idiot ne cesse de répéter que s'il visualise ses rêves, ils auront plus de chances de se réaliser. Il a sûrement trafiqué la photo dans ce but ! Tu me suis ?

Winter disait-elle la vérité ? J'en avais assez de me méfier d'elle. J'aurais tellement voulu la croire.

Au fond de moi, je la pensais sincère.

– Juste au moment où je me dis qu'on est enfin proches, il faut que quelque chose jette le doute dans ton esprit… a soupiré Winter.

Puis elle a poursuivi :

– Il faut absolument que je voie le Joyau Ormond. Et je veux te voir, toi aussi. J'ai travaillé sur l'Énigme. J'ai deux ou trois idées pour la résoudre. Retrouvons-nous quelque part, Cal. Pour parler de tout ça.

– Quelles idées tu as eues ?

– Je préfère en discuter de vive voix, je suis persuadée de tenir une piste. Il y a un portrait de la reine à l'intérieur du Joyau, n'est-ce pas ?

– Oui.

– Là-dessus aussi, j'ai mon idée.

J'étais tiraillé entre l'envie de rejoindre Winter et les doutes qui m'assaillaient. La méfiance de Boris avait déteint sur moi.

– Je vais…

J'ai hésité à lui révéler que je comptais me rendre à Radcliffe. Je me suis repris :

– … être occupé ces prochains jours. Voyons-nous un peu plus tard, dès que je serai libre. On pourra réfléchir ensemble et analyser nos hypothèses.

– Pas de problème. Tu connais mon numéro. N'hésite pas à t'en servir.

Je devinais son sourire à l'autre bout de la ligne.

13 juillet
J -172

16:00

Il était temps que je quitte Enid Villa pour partir vers Radcliffe. J'ai fait un dernier tour du propriétaire avant de prendre la direction de la Gare Centrale avec mon duvet accroché sur mon sac à dos rempli de provisions. J'ignorais comment j'allais franchir les barrages de sécurité, j'improviserais. Je n'avais pas le choix.

J'espérais entrer en toute discrétion dans la gare et sauter dans un train qui me rapprocherait de Radcliffe. Cependant, dès que j'ai mis les pieds dans l'immense hall, j'ai remarqué la présence de nouvelles caméras de surveillance et de patrouilles de police. Je me suis dépêché de rebrousser chemin.

Soudain, un fourgon noir est arrivé à ma hauteur. En jetant un coup d'œil à travers le pare-brise, j'ai sursauté : c'était Zombrovski, le garde du corps de Sligo, qui conduisait ! Il a tourné vers moi, m'obligeant à plonger sur le côté pour l'éviter !

À peine relevé, j'ai enjambé le muret de pierre qui séparait la rampe d'accès de la gare des terrains de basket. Il y avait un dénivelé d'environ deux mètres. Tant pis ! Impossible de rester là ! J'ai atterri brutalement, rebondi sur mes pieds et foncé dans l'ouverture de la grille qui entourait les terrains.

Une porte donnait sur une autre rue. Dans ma précipitation pour l'atteindre, j'ai bousculé un groupe de gamins et fait voler leurs ballons en tous sens. Les hurlements de protestation que j'ai déclenchés ne m'ont pas arrêté, je ne pensais qu'à franchir cette porte… jusqu'à ce que je voie réapparaître le fourgon noir ! Zombie semblait téléphoner. Appelait-il du renfort ? Je n'avais plus qu'à faire demi-tour et ressortir par où j'étais entré !

Immédiatement, le fourgon a pilé et fait marche arrière dans un crissement de pneus pour venir me cueillir de l'autre côté.

J'ai encore changé de direction. Sauf que cette fois, un nouveau problème m'attendait : la Subaru noire de Sligo bloquait la deuxième sortie. Je me retrouvais prisonnier comme un rat dans une cage !

C'était sans espoir.

Haletant, indécis, je me demandais bien ce que j'allais faire quand un pigeon a traversé mon champ de vision. Je l'ai suivi du regard tandis qu'il s'envolait par un large trou, en haut du grillage. Sans perdre une seconde, j'ai escaladé la clôture pour filer par cette ouverture avant de me laisser tomber à l'extérieur.

J'ai atterri à quelques mètres d'une bande d'ados – sans doute une équipe de basket – qui embarquaient en faisant grand bruit à bord d'un bus. Le fourgon noir tournait justement au coin de la rue, sur ma droite. Avec un peu de chance, la lumière déclinante du jour[1] me rendrait invisible si je me mêlais au groupe.

– Dépêchez-vous les garçons, a lancé une voix. Allez, montez. On devrait être partis depuis un quart d'heure. Eh, toi, tu fais partie du stage?

Je me suis retourné. Un jeune type, une écharpe autour du cou et une liste dans la main, s'adressait à moi!

– Oui, m'sieur.

En une fraction de seconde, ma décision était prise. À pied, je n'avais aucune chance d'échapper au fourgon et à la Subaru.

J'ai emboîté le pas aux autres, sans cesser de jeter des coups d'œil par-dessus mon épaule.

– Dépêchez-vous! a répété le coach.

1. En Australie, comme dans tout l'hémisphère Sud, les saisons sont inversées. En juillet, les journées sont donc courtes.

Inutile de me le dire deux fois. Je me suis faufilé entre les ados.

Au passage, j'ai remarqué que les badges cousus sur les sacs provenaient d'écoles différentes. Comme certains élèves ne se mélangeaient pas à la cohue générale, j'en ai conclu qu'ils ne se connaissaient pas tous.

Parfait.

Tassé sur un siège, j'ai poussé un soupir de soulagement en voyant le fourgon noir doubler le bus. Pour le moment, j'étais en sécurité.

D'après les échanges qui fusaient autour de moi, j'ai compris que je voyageais avec des basketteurs qui allaient participer à un camp dans le nord.

Ses écouteurs vissés dans les oreilles, mon voisin écoutait de la musique à fond. Son mutisme m'arrangeait.

À peine remis de mes émotions, j'ai été envahi par le souvenir de ma rencontre avec mon sosie ici même, quelques mois plus tôt.

19:10

Au bout de deux heures environ, tout le monde s'est calmé. J'ai recommencé à me sentir nerveux, inquiet qu'on s'intéresse à moi. Je risquais d'être reconnu sur-le-champ.

Au moment où le bus allait s'arrêter devant un relais routier pour le dîner, j'ai remarqué qu'un groupe de trois garçons chuchotaient en me lançant des regards appuyés. Aucun doute, ces adolescents parlaient de moi.

N'ayant aucune envie d'être dénoncé, je me suis glissé entre des joueurs très grands qui se bousculaient pour descendre. Une fois dehors, j'ai contourné le véhicule à pas de loup puis filé dans la nuit.

20:05

J'ai aperçu au loin des flashs de lumière rouges et bleus. Dissimulé derrière des buissons, je me suis approché.

Un barrage de police obligeait les voitures à stopper. Chacune était contrôlée et fouillée.

J'ai passé ma main dans ma poche pour effleurer le petit ange que Dep m'avait donné et qui m'avait toujours porté chance. Pourvu qu'il me protège jusqu'à ce que j'arrive chez Emily !

La nuit était froide et sombre. La lune décroissante paraissait engloutie par le ciel. Un an plus tôt, à cette même époque, mon père était sur le point de mourir. Malgré mes efforts pour chasser ces douloureux souvenirs, ils hantaient ma mémoire. J'aurais tant aimé avoir pu affirmer à mon père :

– J'ai compris ce que tu essaies de me dire, papa. Je poursuivrai tes recherches pour découvrir la vérité sur la Singularité Ormond. Je te promets de protéger notre famille.

Ces paroles l'auraient peut-être réconforté.

91

Le ciel était d'une profondeur infinie. Une multitude d'étoiles étincelantes parsemaient l'immensité noire de l'espace. J'ai rajusté mon sac sur mes épaules, prêt à marcher toute la nuit. Je ne savais pas exactement où je me trouvais, néanmoins j'étais certain qu'il me restait un long chemin à parcourir jusqu'à Radcliffe.

17 juillet
J –168

Allongé sous les étoiles, je songeais à la façon dont ma vie avait basculé.

J'étais en route depuis trois jours, progressant tant que mes jambes pouvaient me porter, dormant dans les buissons ou n'importe quel endroit tranquille que je dénichais dès la tombée de la nuit.

Comme elle me paraissait loin, l'époque où je rentrais auprès des miens après ma journée au lycée !

De temps en temps, plus souvent que je ne l'aurais souhaité, l'image de Winter s'insinuait dans mon esprit. Sans doute ne saurais-je jamais qui elle était réellement. Cette pensée me rendait fou, mais c'était aussi ce qui me plaisait chez elle...

18 juillet
J –167

Radcliffe

17:14

Enfin j'ai rejoint Radcliffe, une petite ville tranquille nichée sur les contreforts des montagnes.

Je me suis assis sur un banc, à côté d'un monument isolé, pour sortir le nouveau portable que Boris m'avait donné et lui envoyer un texto :

📱 Bi1 arriV.

Ensuite, j'ai saisi l'adresse de mon blog en espérant que la couverture réseau serait suffisante. Elle l'était, sauf que ma page mettait un certain temps à se charger.

Soudain, le hurlement d'une sirène, au loin, m'a fait sursauter. J'ai préféré me dissimuler.

Au bout de la route s'étendait un paisible cimetière de campagne, avec des pierres tombales un peu bancales couvertes de mousse et une chapelle cachée entre les arbres.

Quand ma page s'est enfin entièrement chargée, j'ai découvert un message de Winter :

B L O G	Déconnexion
CAL ORMOND	Petit Oiseau
Écrire à Cal **Laisser un commentaire**	Tu cours un grand danger. Inscription sur le JO en rapport avec la SO. VS veut le récupérer à tt prix. Ses acolytes te cherchent. Ils sont déjà sur tes traces. J'ignore comment ils savent où tu es. STP, appelle-moi. STP, aie confiance en moi. Tout en dépend. Je t'embrasse, W.

Tout en marchant, j'ai composé le numéro de Boris. Je suis allé m'installer derrière la chapelle du cimetière, à l'abri d'un mur. Mon ami ne répondait pas.

Si Winter disait vrai, si Sligo avait les moyens de me localiser, il ne mettrait pas longtemps à gagner Radcliffe ou à découvrir l'existence de ma grand-tante Emily.

La peur m'a serré le ventre.

Et s'il était déjà chez elle ?

À l'autre extrémité du mur, un jeune jardinier arrachait des buissons de ronces. Me voyant approcher, il s'est arrêté et a retiré ses gants épais. Je l'ai interpellé :

– Bonjour ! Je cherche une propriété qui s'appelle Manressa. Tu sais où elle se trouve ?

Surpris, il a relevé ses cheveux sur son front en sueur.

– Manressa ? Qu'est-ce que tu vas faire là-bas ?

– Voir une parente. Pourquoi ? Ça pose un problème ?

Il a haussé un sourcil sans répondre à ma question, puis ramassé un long bâton pour dessiner un plan rudimentaire sur le sol, à ses pieds.

– Continue sur cette route jusqu'à ce que tu aies dépassé deux grosses fermes. Tu ne peux pas les louper. Tourne à gauche, Manressa est située au bout, à deux kilomètres environ.

– Merci.

Il me regardait toujours fixement quand je l'ai quitté.

18:43

La nuit tombait. Des nuages d'orage s'amassaient sur les montagnes ; au loin, des éclairs zébraient le ciel. Un grondement de tonnerre m'a incité à accélérer le pas. J'avais assez froid comme ça, je n'avais pas envie de subir l'averse.

En suivant les indications du jeune jardinier, je suis arrivé à l'entrée d'un chemin de terre, devant un panneau indiquant : « Manressa ». Je me suis demandé de quel genre de propriété il s'agissait, très à l'écart de Radcliffe.

J'ai mis la capuche de mon sweat avant de dévaler le sentier. Je repensais sans cesse au message de Winter. Je n'avais jamais remarqué d'inscription sur le Joyau Ormond, Boris non plus. J'ignorais à quoi elle faisait allusion.

Dès que j'ai aperçu des lumières briller au loin, j'ai commencé à courir. J'espérais que ma grand-tante était saine et sauve, que les sbires de Sligo ne m'avaient pas devancé. Pourvu qu'elle ait appris la mort de son frère. Je ne me sentais pas le courage de la lui annoncer moi-même.

Brusquement, le vent s'est calmé. Et l'orage qui menaçait a éclaté, déversant des trombes d'eau glacée sur moi. En quelques secondes, je me suis retrouvé trempé de la tête aux pieds.

Quant au chemin, il s'était transformé en torrent de boue.

J'ai poursuivi ma course jusqu'à une grille flanquée de piliers de pierre. Une haute clôture de fer entourait une imposante bâtisse à moitié dissimulée derrière d'immenses arbres dénudés. La flèche d'une tour pointait vers le ciel et une allée circulaire menait à l'entrée. L'ensemble évoquait un établissement spécialisé, dans le genre de l'hôpital psychiatrique Leechwood. Ma grand-tante était-elle folle?

Un autre panneau, dégoulinant d'eau, se balançait au bas de la grille. J'ai essuyé la terre qui le souillait, puis plissé les yeux pour le déchiffrer. Pour un peu, j'en serais tombé à la renverse!

COUVENT DE MANRESSA

ORDRE CLOÎTRÉ
DES SŒURS
DE SAINTE-SOPHIE

Ma grand-tante Emily vivait donc dans un couvent!

Est-ce qu'on m'autoriserait seulement à y pénétrer? « Ordre cloîtré » signifiait probablement que les religieuses n'avaient aucun contact avec le monde extérieur...

Une idée m'a alors traversé : cet endroit était peut-être le seul du pays où personne n'avait entendu parler de Cal Ormond, l'ado-psycho.

Une silhouette abritée sous un parapluie s'est avancée dans l'allée. C'était une vieille religieuse. Sa robe flottait au vent, son voile noir luisait d'humidité. Derrière elle se dressait le couvent, sombre et mystérieux.

– Que fais-tu ici ? Qui es-tu ? a-t-elle demandé en me dévisageant de ses yeux vifs.

J'ai retenu mon souffle avant d'annoncer :

– Je m'appelle Cal Ormond.

Elle a tendu son parapluie, m'invitant à m'abriter dessous.

– Je t'écoute pendant que je ferme la grille pour la nuit, a-t-elle repris en élevant la voix afin de couvrir le grondement de l'orage. Dis-moi, que viens-tu faire ici ?

– Je suis à la recherche de ma grand-tante Emily Ormond. On m'a donné cette adresse. Je dois la voir. À propos d'une affaire de famille très importante.

– Emily ? Tu veux parler de sœur Constance ?

– Constance ? Non, je ne la connais pas. Ma grand-tante se nomme Emily Butler Ormond.

Après m'avoir examiné de la tête aux pieds, la religieuse s'est mise à marmonner tout en verrouillant la grille derrière moi, puis elle a désigné le couvent avec son parapluie.

– Viens donc te mettre à l'abri, mon garçon.

En dépit de son âge avancé, elle avait le pas alerte. Nous sommes vite arrivés devant une porte ouverte sur un côté du bâtiment.

– Quand une femme entre au couvent, elle change de nom. Ta grand-tante a choisi Constance. Je ne sais pas ce que je vais faire de toi, a-t-elle continué tandis que nous gravissions les marches du perron. Mais il serait peu charitable de te laisser dehors par un temps pareil.

J'ai suivi la religieuse. Au-dessus de la lourde porte à double battant, une énorme cloche étincelante était suspendue au sommet d'une tour qui dominait l'entrée. Des cactus beaucoup plus grands que nous, couverts de longues épines pointues, encadraient l'escalier.

De l'autre côté de la double porte s'étendait un hall immense et lugubre, chichement éclairé par trois bougies vacillantes allumées devant la statue d'un saint en armure. À côté, j'ai aperçu des cordes et un étroit escalier qui montait sans doute au clocher.

J'ai frissonné. Pas seulement à cause du froid, mais parce que l'endroit me rappelait le mausolée de Piers Ormond.

Le regard attiré par l'épée très réaliste plantée dans la main droite du saint, et fixée par un fil de fer, je me suis arrêté devant la statue.

– Belle arme, ai-je noté en admirant la lame étincelante.

– Saint Ignace, bénissez-le, a murmuré la religieuse. Un saint guerrier. L'arme qu'il tient est une véritable épée. Elle a été offerte au couvent par un bienfaiteur, un général.

La religieuse m'a entraîné au fond du hall tout en secouant sa robe mouillée, puis dans un couloir qui débouchait sur une vaste cuisine.

– Je vous remercie de m'avoir permis d'entrer, lui ai-je dit en enlevant mon sweat détrempé.

Une grande table occupait le centre de la pièce chauffée par un gros poêle à bois. Les murs étaient couverts d'ustensiles de cuisine, en cuivre, et sur les plans de travail s'empilaient des assiettes propres. Toutes sortes d'odeurs embaumaient l'air.

– Tu as de la chance que je t'aie vu. Si je n'étais pas allée fermer la grille, tu serais encore sous la pluie.

Elle m'a alors tendu la main en se présentant :

– Je suis sœur Thérèse. C'est moi qui fais les courses et sers de lien entre les religieuses et le monde extérieur. Je conduis le minibus aussi. D'où viens-tu, mon garçon ?

– D'ici et là. Je… voyage.

– Tu dors dehors ? Par ce temps ? Tu as besoin d'un bon bain chaud. Et je vais te trouver quelque chose de sec à te mettre ou tu vas attraper la mort dans ces vêtements !

Elle a suspendu mon sweat trempé sur le dossier d'une chaise, près du poêle.

– Je vous remercie, j'ai de quoi me changer, ai-je déclaré en fouillant dans mon sac à dos. Est-ce que vous pourriez prévenir ma grand-tante que je suis ici et que j'aimerais lui parler?

Un voile d'inquiétude a assombri le visage de sœur Thérèse.

Je me suis alarmé :

– Quelqu'un d'autre a demandé à s'entretenir avec Emily? Oh, pardon, avec sœur Constance?

– Certainement pas. Pourquoi la cherches-tu, au fait?

– Il faut que je la voie, ai-je poursuivi. Je dois lui poser des questions à propos d'une affaire de famille.

– Une affaire de famille? Nous, les religieuses, nous consacrons à Dieu. Nous sommes l'un des derniers ordres cloîtrés, nous respectons des règles très strictes. Nous avons laissé le monde derrière nous et renoncé à nos familles.

– Parler à Emily est vraiment très important pour moi. Il pourrait y avoir… un problème.

Je n'en ai pas révélé davantage, de peur de l'effrayer.

– Quel problème?

Comment lui expliquer que d'impitoyables criminels approchaient peut-être, à ce moment même, du couvent? Jamais elle ne me croirait.

– Ne vous inquiétez pas. J'ai simplement besoin de la rencontrer.

103

Sœur Thérèse m'a conduit jusqu'à la salle de bains extérieure, une grande buanderie située à côté de la cuisine.

Je me suis regardé dans un vieux miroir : mes cheveux blonds, longs et sales, avaient l'air plus foncés que jamais.

Après m'être lavé rapidement, je suis allé m'asseoir à la table de la cuisine, vêtu d'un pull gris et sec, tandis que sœur Thérèse me préparait un sandwich au jambon et un chocolat chaud. Qu'elle ferme la porte à clé derrière moi, dès mon retour de la buanderie, m'a un peu rassuré. J'étais provisoirement à l'abri, dans une forteresse sacrée, protégé par des remparts de cactus, un groupe de religieuses et des serrures solides.

– Tiens, mange pendant que je me renseigne sur ce que je peux faire de toi.

J'ai dévoré mon sandwich. Au loin, il m'a semblé entendre des psalmodies, sans doute les religieuses qui chantaient.

J'avais fini mon repas et la moitié de ma tasse de chocolat quand sœur Thérèse est revenue. Elle avait les sourcils froncés.

– Je suis désolée de te décevoir, mais je crains que tu ne sois venu pour rien.

– Pour rien ? C'est absolument impossible ! Il faut que je voie ma grand-tante, je vous en supplie ! C'est vital !

– Personne n'a l'intention de t'en empêcher, Cal, a-t-elle déclaré en posant calmement la main sur mon épaule. Toutefois, il y a une chose dont tu dois être averti.

Mon cœur s'est serré. Allait-elle m'apprendre la mort d'Emily ?

– Sœur Constance – ta grand-tante – ne parle plus. Cela fait très longtemps qu'elle est muette. Presque vingt ans.

– Quoi ?

J'ai reposé ma tasse de chocolat.

– C'est arrivé comment ?

J'étais partagé entre le soulagement de la savoir en vie et la consternation.

– Personne ne peut le dire avec certitude. Quand on se lève à cinq heures du matin pour prier neuf fois par jour, puis travailler au jardin ou à la cuisine, lire une demi-heure et se coucher après le thé, on n'a pas grand-chose à raconter. En fait, voilà des semaines que je n'avais pas eu moi-même une vraie conversation.

Soudain le bruit d'une porte qui claquait m'a fait sursauter.

– Qu'y a-t-il ? s'est étonnée la sœur.

– J'ai entendu du bruit. Comme une porte qui battrait dans le vent.

– Oh là là ! Encore cette porte ! Matt oublie toujours de la fermer !

– Matt ?

– Le jeune homme qui nous aide pour le jardinage. Il est un peu tête en l'air. Il ne pense

105

qu'à sa moto. Il est fou de cet engin, comme une mère de son bébé. Il lui a même donné un nom : Blue Star ! Je ferais mieux d'aller verrouiller cette porte.

Elle a disparu dans le couloir. J'en ai profité pour téléphoner à Boris.

– J'ai parlé à Winter, ai-je annoncé. Et avant de t'énerver, écoute ce que j'ai à te dire.

– OK.

– D'après elle, il y a une inscription à l'intérieur du Joyau.

– Elle a rêvé. Il n'y a rien. Attends une seconde, je vais chercher le bijou.

J'ai patienté.

– Non, je ne vois aucune inscription, a déclaré Boris. Cette fille est une vraie mytho. Pourquoi tu la crois ?

– Tu as une loupe ? J'aimerais que tu examines le Joyau de plus près. Un indice nous a peut-être échappé. Winter m'a aussi prévenu que Sligo était sur ma piste. Je ne suis pas sûr de me trouver en sécurité à Radcliffe.

– Tu es à Manressa ?

– Oui. Au couvent de Manressa, tu imagines ? Emily est entrée dans les ordres ! Elle se fait appeler sœur Constance !

Boris a éclaté de rire.

– C'est la meilleure !

– Il n'y a rien de drôle : il paraît que ma grand-tante n'a pas prononcé un mot depuis vingt ans !

106

À l'autre bout de la ligne, j'ai entendu un soupir de frustration. Boris ne riait plus.

– Je dois me débrouiller pour rompre son silence, ai-je ajouté. Sinon, on ne saura jamais la vérité.

– Qu'est-ce qui te fait penser qu'elle te parlera ?

À cet instant, sœur Thérèse est revenue dans la cuisine.

J'ai murmuré :

– Il faut que je te laisse, Boris. Promets-moi d'examiner le bijou à la loupe.

– Tu n'as pas compris que Winter veut te remettre le grappin dessus ?

– Fais simplement ce que je te dis. S'il te plaît.

J'ai coupé la communication puis glissé mon portable dans ma poche.

– La porte était grande ouverte ! s'est écriée sœur Thérèse. N'importe qui aurait pu s'engouffrer à l'intérieur du couvent ! Heureusement que tu as l'ouïe fine. Je crois qu'on devrait vérifier la serrure. J'en toucherai deux mots à sœur Bertha. C'est elle qui s'occupe des réparations et du gros œuvre dans le couvent.

Sœur Thérèse a suspendu la clé de la buanderie à un clou planté au mur, à côté d'un trousseau de clés de voiture attaché à une médaille de saint Christophe. Sans doute s'agissait-il des clés du minibus.

– Je viens d'exposer ta demande à la Mère supérieure, a poursuivi sœur Thérèse. Étant donné la météo et ton lien de parenté avec l'une des sœurs, elle se réjouit de t'accueillir : elle m'a demandé de te préparer un lit.

– Et ma grand-tante ? Je peux lui rendre visite ? C'est urgent ! Peu importe si elle ne me répond pas.

– Nous verrons ça demain matin. Il se fait tard. Après les prières du soir, nous observons le grand silence. Je ne devrais même pas discuter avec toi, a-t-elle déclaré avec un sourire espiègle. Nous sommes censées nous taire jusqu'à la fin du petit déjeuner demain matin.

Le grand silence ? Peut-être était-ce la règle qui avait incité Emily, ou plutôt sœur Constance, à se taire pour de bon...

J'ai suivi sœur Thérèse dans plusieurs couloirs lugubres aux portes closes, jusqu'à une longue galerie. Là, elle m'a fait entrer dans une pièce meublée d'un lit étroit, d'une table et d'une chaise. Le sol était couvert de dalles de pierre et la fenêtre munie de barreaux. J'avais dormi dans des tas d'endroits bizarres, mais jamais dans un couvent.

– On dirait une cellule, ai-je lâché avant de me rendre compte de ma bévue.

– C'en est une, a confirmé sœur Thérèse. La religieuse qui dormait ici s'en est allée recevoir sa récompense.

– Sa récompense ?

– Oui. Elle repose maintenant auprès du Seigneur.

J'allais coucher dans le lit d'une morte. De mieux en mieux !

– Toutes les cellules de cette galerie étaient occupées par des sœurs autrefois. Nous sommes moins nombreuses désormais, et cette cellule est l'une des seules qui soit encore meublée. Tu trouveras des couvertures supplémentaires sous le lit, dans un coffre.

Elle a tapoté le bout du matelas, soulevant un épais nuage de poussière. Elle s'est frotté les mains avant d'ajouter :

– Je te souhaite une bonne nuit. Nous nous levons à cinq heures. Ne t'inquiète donc pas si tu entends des bruits avant l'aube.

Une fois la porte refermée, je me suis approché de la fenêtre pour observer l'extérieur, entre les barreaux. La pluie battait contre la vitre. Après la chaleur de la cuisine, cette cellule me paraissait glacée. Dehors, le vent soufflait en tempête.

J'ai frissonné. J'aurais dû me sentir en sécurité. Malheureusement, il n'en était rien.

Je me suis allongé tout habillé en pensant à ma grand-tante assoupie quelque part dans ce couvent, murée dans son silence.

19 juillet
J –166

Couvent de Manressa
Radcliffe

08:50

J'ai reçu un texto de Boris :

> OK, OK, dsl. Winter aV rézon. Ya Kekchoz Dkri sur JO ! En franC je croa.

> Gnial ! JtapL Dq possib.

Sœur Thérèse m'a servi un petit déjeuner composé de porridge et de toasts dans la cuisine. Nous disposions de l'endroit pour nous seuls. Apparemment, la plupart des religieuses partageaient leur repas peu après l'aube. Ensuite, elles se retiraient pour la prière du matin dans la chapelle attenante au bâtiment.

Le vrombissement d'une moto qui s'arrêtait à la porte m'a fait sursauter.

– Ah, voilà Matt sur sa Blue Star. Tu pourrais peut-être lui donner un coup de main aujourd'hui? Je suis sûre qu'il sera ravi de ta compagnie. Ça le changera de celle des religieuses!

– Avec plaisir, mais je souhaiterais voir ma grand-tante d'abord…

Elle m'a tapoté la main.

– Ne t'inquiète pas, mon petit. Je vais m'arranger pour que tu passes un moment avec elle. Ne mets toutefois pas trop d'espoir dans cette rencontre. Entendu?

10:05

Sœur Thérèse a frappé doucement avant d'ouvrir la porte d'une cellule au premier étage. Je l'ai suivie à l'intérieur.

Assise dans un fauteuil placé à côté de la fenêtre, un plaid sur les genoux, une religieuse très âgée disparaissait presque sous le voile noir bordé d'un bandeau blanc qui lui ceignait le front. Elle avait la peau pâle et cireuse d'une femme cloîtrée depuis longtemps.

Ma grand-tante Emily s'est lentement tournée vers nous. Lorsque son regard s'est posé sur moi, j'ai vu son visage virer subitement au gris.

Tout son corps a frémi, ses vieilles mains décharnées ont agrippé les accoudoirs du fauteuil. Voulant se mettre debout, elle a vacillé, failli tomber. Nous nous sommes précipités pour la retenir, mais elle nous a repoussés.

L'air sidérée, elle a reculé d'un pas, puis murmuré d'une voix rauque :

– C'est toi, Bart ? Tu es venu me voir ? Bart ! Mon petit frère !

Sœur Thérèse en a eu le souffle coupé :

– Sainte Marie mère de Dieu, elle parle ! Sœur Constance parle !

Elle s'est ruée vers la porte, la bouche ouverte, comme pour alerter les autres sœurs, avant de se raviser et de revenir aux côtés de ma grand-tante :

– Rasseyez-vous, ma chère Constance. Laissez-moi vous aider.

La prenant chacun par un bras, nous avons réinstallé la vieille dame dans son fauteuil.

Sœur Thérèse s'est penchée à mon oreille. Elle avait sans doute l'intention de chuchoter mais, emportée par son excitation, elle a presque crié :

– Ce sont les premiers mots qu'elle prononce depuis vingt ans ! C'est extraordinaire !

Extraordinaire, oui, sauf qu'elle me confondait avec son frère. Et je redoutais de décevoir ma grand-tante qui scrutait avec avidité mes traits familiers.

– Je ne suis pas Bart, ai-je déclaré. Bart est mon grand-oncle. Moi, c'est Cal.

– Tu dois lui ressembler au même âge, m'a glissé sœur Thérèse. Constance a l'esprit un peu confus, elle a perdu la notion du temps.

Emily a de nouveau tenté de se lever, mais cette fois ses forces l'ont trahie et elle est retombée dans son fauteuil.

– Vous ne devriez pas vous fatiguer ainsi, sœur Constance, a conseillé la religieuse avec beaucoup de gentillesse.

Et elle a ajouté, en me donnant une petite tape dans le dos :

– Reparler au bout de vingt ans ! Tu as accompli un miracle, mon garçon. Je vous laisse tous les deux, je vais chercher des boissons chaudes.

Debout devant la vieille dame, je contemplais son visage qui me rappelait celui de Bartholomé en version féminine.

– Sœur Constance, ai-je commencé en m'asseyant au bord du lit. Je suis votre petit-neveu, Cal Ormond. Le fils de Tom. Le petit-fils de William.

Je n'avais pas connu mon grand-père, dont la disparition avait suivi de peu ma naissance.

– Récemment, je suis allé rendre visite à votre frère Bartholomé, ai-je poursuivi. Il m'a confié que vous saviez des choses sur la famille Ormond et sur le testament de Piers Ormond. Pourriez-vous me fournir tous les documents et informations en votre possession? C'est très important pour moi.

Elle n'a ni parlé ni bougé durant de longues minutes. Je me demandais si elle avait entendu et compris mes paroles.

– J'ai prié le Ciel pour que ce moment n'arrive jamais, a-t-elle fini par croasser d'une voix aussi grinçante qu'une grille rouillée.

L'ombre d'un sourire enfantin a flotté sur ses lèvres. L'espace d'une seconde, la vieille femme de plus de quatre-vingts ans s'est effacée pour laisser place à une petite fille. Emily Chipie.

– Pourquoi? me suis-je étonné.

Son sourire s'est évanoui. Elle a pincé la bouche et secoué la tête sans un mot.

– S'il vous plaît, expliquez-moi.

Elle a repris de la même voix rouillée :

– Si ce moment est arrivé, cela signifie que le fils de William – que ton père...

J'ai plongé mon regard dans les yeux d'Emily. Son mutisme obstiné me donnait presque envie de la secouer, cependant, quand j'ai vu des larmes rouler sur ses joues pâles et ridées, je me suis calmé.

– Je vous en prie, ma tante, ai-je repris le plus doucement possible. Que signifie ma visite? Quel rapport avec mon père?

– Elle signifie... a-t-elle répondu d'une voix presque inaudible, elle signifie que ton père est mort.

115

Ses paroles m'ont stupéfié. Comment l'avait-elle appris ?

– Il m'a écrit pour me poser des questions sur la Singularité Ormond.

J'osais à peine respirer.

Puis, soudain, sous l'effet de la tension et de l'euphorie, les questions ont jailli de ma bouche :

– Vous lui avez répondu ? Vous connaissez le secret ? Vous pouvez m'en parler ? Il vous a dit ce qu'était cette Singularité ? Je vous en supplie, il faut que je sache.

De l'autre côté de la fenêtre de la cellule, des pies jacassaient.

– J'ai laissé derrière moi toutes mes affaires de famille en entrant au couvent. Tous les papiers, toutes les informations sur la Singularité Ormond ont été rangés. Dans une grande enveloppe.

Elle a pris une profonde inspiration avant de continuer :

– Je n'ai pas pu l'aider. Je me souviens seulement de ce qu'on disait quand j'étais petite.

– Qu'est-ce qu'on disait ?

– Que c'était un secret de famille, un secret *mortel*. Tous nos ancêtres ayant tenté de le percer en étaient morts. La Singularité devait rester un secret.

J'ai frissonné. « La Singularité Ormond. Ne la laisse pas te condamner, mon garçon ! » m'avait averti le fou, la veille du nouvel an.

– Il est mort, a marmonné Emily. Parce que quiconque enquête sur la Singularité Ormond... finit dans un cercueil...

Sa voix s'est éteinte et elle a fixé le lointain, au-delà de la fenêtre.

Emily voulait-elle dire que c'était la Singularité Ormond qui avait tué mon père ? Et que c'était à cause d'elle que beaucoup de gens voulaient ma mort ?

J'ai attendu un moment avant de changer de tactique.

– Est-ce que vous savez quelque chose sur... Piers Ormond ?

– Notre famille possède de nombreux secrets, a-t-elle grincé. Et la Singularité Ormond est le plus mortel de tous. Mon grand-père, qu'il repose en paix, m'avait prévenue.

Elle a marqué une courte pause avant de reprendre :

– Piers était mon grand-oncle. Il avait réuni des informations sur la famille Ormond.

– Vous êtes au courant de son testament ?

J'ai pris sa main fragile dans les miennes mais, à son regard vitreux, j'ai compris que son esprit s'égarait.

– Que pouvez-vous m'apprendre sur la Singularité Ormond, tante Emily ?

J'espérais que mes questions répétées réveilleraient les souvenirs enfouis dans sa mémoire.

– Approche-toi, Cal.

Le cœur battant, je me suis penché vers elle. Avait-elle une révélation à me faire ?

– La Singularité Ormond est le grand secret de notre famille.

– Mais de quoi s'agit-il ? ai-je insisté.

– C'est Bartholomé qui t'envoie ?

– Oui.

Je n'avais aucune envie de lui apprendre les circonstances terribles de sa mort. En un éclair, j'ai revu le vieil homme étendu par terre tandis que les flammes ravageaient le rez-de-chaussée de sa propriété.

– Il m'a dit que vous étiez en quelque sorte l'historienne de la famille, que vous aviez conservé tous les papiers des Ormond, y compris le testament de Piers.

– Sais-tu qu'on est jumeaux ? a-t-elle lancé en souriant. Bartholomé et moi.

– Jumeaux ?

Son sourire s'est rapidement effacé, laissant place à une expression grave et craintive.

Elle m'a regardé dans les yeux :

– Il y a eu cette histoire des deux bébés. Un événement tragique.

L'article de presse les concernait-il ? Bartholomé et Emily ? Le journal avait l'air vieux, mais pas à ce point. Il me semblait de plus en plus évident qu'il me concernait, moi.

– Qui étaient ces bébés ? Qu'est-il arrivé ?

Elle a lentement secoué la tête puis, d'une voix chevrotante, s'est mise à chanter :

– *Deux petits agneaux perdus dans la nuit glacée, le premier fut sauvé, le deuxième jamais retrouvé.*

Cette comptine m'a troublé. J'avais l'impression de la connaître, alors que je ne l'avais jamais entendue. Presque aussi vite qu'elle avait commencé, ma grand-tante s'est arrêtée et m'a dévisagé d'un air absent.

– Redis-moi pourquoi tu es là.

Je me suis senti frustré, dérouté, angoissé. Pour l'instant, je devais oublier l'histoire des bébés enlevés et me concentrer sur le but de ma visite.

– J'espérais que vous auriez des papiers ou des lettres sur la famille qui pourraient m'être utiles, lui ai-je rappelé. Vous avez expliqué qu'ils étaient dans une enveloppe ?

– Toutes mes affaires sont rangées. Je ne me souviens pas où. Mais pourquoi un jeune garçon comme toi s'intéresse aux affaires d'une vieille dame ?

Toute animation avait quitté son visage. Elle semblait avoir effacé de sa mémoire le sujet de notre conversation. Ses yeux se sont embués et, comme égarée dans un autre monde, elle a chantonné de nouveau de sa voix cassée :

– *Deux petits agneaux perdus dans la nuit glacée, le premier fut sauvé, le deuxième jamais retrouvé.*

Quand elle s'est tournée vers moi, des larmes coulaient sur son visage.

– Voilà ce qui s'est passé. L'un a été retrouvé sain et sauf, l'autre a disparu. Envolé. Nous laissons derrière nous les choses de ce monde lorsque nous entrons au couvent, a-t-elle ajouté d'un ton solennel, comme si elle citait quelqu'un.

Sœur Thérèse est réapparue avec des sandwichs et deux tasses de chocolat chaud qu'elle a posés sur une table basse. Elle s'est assise à côté de moi. J'étais nerveux, agité, impatient de découvrir où se trouvaient les papiers de la famille.

J'ai tenté une ultime fois :

– Qu'avez-vous fait de toutes vos affaires, ma tante ? De vos papiers de famille ?

La vieille religieuse s'était remise à fredonner. Elle a ignoré ma question. Elle regardait par la fenêtre. J'ai fixé sœur Thérèse qui avait le visage crispé par l'émotion. Elle a haussé les épaules, semblant dire : « Désolée, je ne peux rien faire pour t'aider. »

– Je vous en prie, ma tante, répondez-moi.

Mais c'était inutile. Aussi brusquement qu'elle était revenue, sa voix s'était tue de nouveau. Sœur Constance était retombée dans son silence.

Dédaignant le plateau que sœur Thérèse avait apporté, elle s'est tassée dans son fauteuil comme si, en rompant son mutisme, elle avait épuisé toute son énergie.

J'avais passé des jours sur les routes, accroché au fragile espoir de la retrouver. Et maintenant que j'avais reçu, de sa bouche, la confirmation du danger entourant la Singularité Ormond, son esprit embrouillé refusait de me livrer de plus amples informations.

– Elle a bien rangé tous ses documents quelque part, ai-je résumé à sœur Thérèse tandis que nous nous dirigions vers la porte. Et elle a mentionné une grande enveloppe.

Sœur Thérèse a lissé sa robe et souri :

– Je pense savoir où elle se trouve !

11:22

Nous avons laissé ma grand-tante chantonner et sœur Thérèse m'a entraîné vers le rez-de-chaussée.

– Où va-t-on ?

D'un pli de sa robe, elle a sorti un anneau rassemblant plusieurs clés très anciennes.

– Aux archives !

Elle m'a conduit au bout d'un couloir et s'est arrêtée devant une porte. Après l'avoir déverrouillée, elle a allumé une lumière. J'ai alors découvert un sinistre escalier en pierre s'enfonçant dans les ténèbres.

– Toutes les archives du couvent sont entreposées en bas, a-t-elle expliqué en commençant à descendre les marches étroites.

Au sous-sol, elle a allumé une autre lampe. Nous nous trouvions dans une cave froide et humide, à peine plus grande que le repaire de Dep, et dont les murs, du sol au plafond, disparaissaient derrière des étagères et des meubles de classement.

À la différence de chez Dep, il régnait ici un ordre parfait. Tout était méticuleusement rangé. Au fond, dans une alcôve, deux coffres en bois massif reposaient l'un sur l'autre.

– Ils contiennent les archives les plus fragiles, m'a précisé sœur Thérèse en essuyant la poussière du couvercle. Malheureusement, les plus anciennes sont dans celui du bas. Sœur Constance vit chez nous depuis soixante-dix ans. Tu veux bien m'aider à soulever celui-ci ?

Songeuse, elle a reculé, les mains sur les hanches.

– Je n'arrive toujours pas à croire qu'elle a parlé ! Elle attendait sans doute le bon moment ! Ou la bonne personne !

Au prix d'intenses efforts, nous avons déposé le coffre du haut par terre.

Un frisson d'excitation m'a parcouru de la tête aux pieds lorsque sœur Thérèse a soulevé le couvercle, dévoilant une multitude de paquets et de dossiers poussiéreux. Elle a fouillé au milieu des papiers et chemises jusqu'à dégager une grosse enveloppe marron, qu'elle m'a tendue.

– La voilà !

On avait tracé dessus, d'une écriture fleurie
et démodée, les mots suivants : « Emily Butler
Ormond, 1939 ».

12:02

Un courant d'air froid soufflait dans les couloirs du couvent. J'ai récupéré mon sweat dans
la cuisine où il avait séché avant de regagner ma
chambre.

Sœur Thérèse m'avait proposé de rester une
nuit de plus. Elle me conseillait de prendre le
temps d'examiner les documents, et d'essayer
à nouveau de m'entretenir avec ma grand-tante
le lendemain matin, quand elle serait reposée.
Savoir Vulkan Sligo à mes trousses m'inquiétait,
néanmoins j'ai accepté l'offre de sœur Thérèse.
J'espérais qu'en insistant, ma grand-tante
m'en dirait davantage. Qu'elle aurait d'autres
informations. J'étais convaincu qu'elle pouvait
éclairer les ténèbres qui engloutissaient notre
famille.

Renversant le contenu de l'enveloppe sur le
lit, j'ai découvert trois lettres de Piers Ormond,
envoyées à ses parents durant ses voyages, ainsi
qu'un arbre généalogique incomplet, avec des
noms familiers et d'autres effacés ou tachés.
J'ai identifié distinctement deux écritures différentes. Ainsi, deux personnes y avaient travaillé.

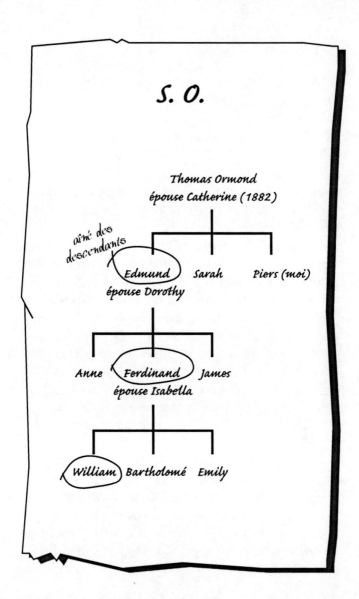

S. O.

Thomas Ormond
épouse Catherine (1882)

aîné des descendants

Edmund   Sarah   Piers (moi)
épouse Dorothy

Anne   Ferdinand   James
épouse Isabella

William   Bartholomé   Emily

J'ai laissé de côté l'arbre généalogique pour me pencher sur les lettres. Les mots « ange Ormond » et « Énigme Ormond » ont immédiatement attiré mon regard. Ainsi Piers Ormond connaissait l'existence de l'ange et de l'Énigme!

Juste au moment où je m'installais pour lire ces lettres, on a frappé à ma porte.

– Oui?

– Salut, je suis Matt. Sœur Thérèse m'a dit que tu pourrais me donner un coup de main au jardin?

– Bien sûr, ai-je répondu à contrecœur, en rangeant les précieux papiers avant de le rejoindre.

Je devais remettre ma lecture à plus tard.

20 juillet
J –165

`04:28`

Couché dans mon lit étroit, j'ai tendu l'oreille. La pluie s'était arrêtée, les arbres agitaient leurs branches devant la fenêtre, projetant des ombres légères dans ma chambre. Il régnait un silence absolu, et pourtant un bruit m'avait réveillé.

Il était trop tôt pour qu'il s'agisse des religieuses. Je me suis levé et j'ai collé une oreille contre la porte de ma cellule. Rien.

J'ai quand même quitté ma chambre sur la pointe des pieds pour aller jeter un coup d'œil dans la galerie. Elle était vide et obscure. À une extrémité, là où un couloir la coupait à angle droit, une petite lumière rouge vacillait devant une statue.

Un grincement !

Il semblait provenir du couloir.

Pieds nus, je me suis approché dans le plus grand silence de la lumière tremblotante. Soudain, j'ai entendu un chuintement. Je me suis aussitôt figé sur place et aplati contre le mur, aux aguets. On ouvrait et fermait des portes très doucement. L'une d'entre elles avait peut-être claqué à l'improviste. Quelqu'un se déplaçait furtivement, cherchant quelque chose... ou quelqu'un...

La même série de bruits s'est répétée : des pas, une pause, une porte qui s'ouvre. J'imaginais cette personne écouter un instant, ouvrir, vérifier que la pièce était vide, refermer, se diriger vers la suivante.

Les pas se rapprochaient. J'ai attendu qu'on ouvre une autre porte avant de risquer un regard dans le couloir.

Une très haute silhouette est apparue, celle d'une religieuse si grande que sa robe de bure ne lui couvrait pas les chevilles. Sœur Bertha vérifiait les serrures à cette heure ? Soit elle était devenue folle, soit elle avait des insomnies.

– Sœur Bertha ? l'ai-je interpellée.

Elle a pivoté.

La frayeur m'a fait reculer d'un bond. Ce n'était pas sœur Bertha ! Ce n'était pas une religieuse ! C'était Zombrovski déguisé en bonne sœur !

Lui aussi a eu un choc. Mais, plus vif, j'ai rebroussé chemin à toute vitesse.

Zombrovski avait l'air diabolique malgré son déguisement !

J'ai filé dans la galerie en sens inverse comme une flèche, dépassé la porte de ma cellule, puis tourné dans un autre couloir où je me suis arrêté un instant pour reprendre ma respiration et jeter un bref coup d'œil derrière moi.

Zombrovski arrivait déjà au bout de la galerie ! On aurait dit qu'il flairait une piste, guettait le moindre bruit.

Et s'il entrait dans ma chambre et dérobait mon sac à dos ? J'avais confié le plus précieux à Boris, cependant, je n'avais aucune envie de perdre les archives d'Emily que j'avais eu tant de peine à me procurer. Toutefois, Zombie ne semblait pas se soucier de mes affaires pour le moment. C'était moi qui l'intéressais.

Mon pouls battait à un rythme effréné. Il me fallait échafauder un plan. J'étais partagé entre l'envie de me sauver et celle de récupérer mes affaires. Impossible de défier ce monstre. En revanche, si je parvenais à atteindre la porte d'entrée et à me fondre dans l'obscurité, il penserait que je lui avais échappé.

Les pas lourds et implacables qui se rapprochaient ont décidé pour moi. Reprenant ma course silencieuse, j'ai traversé le hall lugubre. Au moment où j'allais me lancer vers la porte pour sortir, la flamme d'une bougie placée devant le saint en armure a brillé d'un éclat si vif qu'elle a illuminé la lame de l'épée. Je me suis arrêté, fasciné.

Et si Zombie n'était pas seul ? Et si quelqu'un était à l'affût dehors ? Et si je fonçais droit dans un piège ? Fuir le danger ou l'affronter ? Je devais trancher !

L'affronter !

J'ai bondi vers saint Ignace et arraché son épée. Elle n'était pas tranchante, mais assez lourde pour assommer un adversaire. Embusqué à l'angle du mur, je l'ai levée au-dessus de ma tête, attendant sans respirer que Zombie se rapproche. D'une seconde à l'autre, il allait émerger de l'obscurité.

J'étais prêt.

Dès qu'il a débouché du couloir, il a senti ma présence et tourné brusquement la tête dans ma direction. À la lueur de la bougie vacillante, j'ai vu la rage étinceler dans ses yeux.

Avant qu'il ait le temps de se jeter sur moi, j'ai abattu le plat de l'épée de toutes mes forces sur ses épaules. Le choc l'a envoyé valser contre le mur. Quand il a tendu les bras en avant pour se rattraper, j'ai aperçu, sur sa main droite, quatre grosses pointes de métal acéré : un coup-de-poing américain ! De fureur, il a poussé un juron puis fait quelques pas en chancelant avant de retrouver son équilibre.

Loin de me paralyser, la terreur a décuplé mon désir de me battre. Je n'avais pas l'intention de lui servir de punching-ball.

Sligo ne voulait pas que j'atteigne mon seizième anniversaire? Eh bien je ne me laisserais pas faire!

Zombrovski revenait à la charge. J'ai brandi à nouveau mon épée. Cette fois, il allait souffrir. Je n'avais pas le choix. Malheureusement, au moment de le frapper, j'ai glissé dans une flaque d'eau; je suis tombé, l'épée m'a échappé; lorsque j'ai voulu la rattraper, mon pied s'est accroché au sol dans le bout enroulé de la corde qui pendait du clocher.

Le son brutal de la cloche nous a surpris l'un et l'autre. À la seconde où Zombie allait me fracasser le crâne avec son coup-de-poing américain, j'ai bondi sur l'épée pour l'empoigner à deux mains. J'étais moins fort que lui, mais plus rapide : avant qu'il ait le temps de m'atteindre, j'ai abattu la lame sur son épaule droite. Il a poussé un grognement puis s'est affaissé sur les genoux en hurlant de douleur.

Il n'était pas pour autant hors d'état de nuire; au contraire je n'avais réussi qu'à attiser sa rage! Il s'est relevé en titubant et a changé son arme de main.

Bloqué contre l'escalier du clocher, j'ai esquivé un véritable coup de boutoir en sautant sur le côté. Le poing de métal de Zombie s'est planté dans la rampe dont il a fait éclater le bois.

Je devais en profiter pour agir. Une seule issue s'offrait à moi : monter.

Zombie s'est dégagé avec un rugissement terrible pour se lancer aussitôt à ma poursuite. Son bras droit pendait, inerte. J'ai gravi les marches deux par deux. Devenue folle, la corde se tordait au milieu de l'escalier en colimaçon et nous fouettait au passage. Soudain, Zombie a plongé en avant et saisi ma cheville. En me retournant, j'ai réussi à dévier le coup-de-poing américain avec mon épée.

Cependant Zombie me rattrapait. Le bruit de la cloche m'assourdissait. Je commençais à paniquer. Que ferais-je en haut du clocher ?

J'ai continué à grimper les marches, courant, tournant, progressant de plus en plus.

Derrière moi, Zombie jurait de plus belle sans me lâcher d'un pouce.

Arrivé au sommet de l'escalier, je me suis rendu compte que l'énorme cloche, qui vibrait et bourdonnait encore après avoir sonné à la volée, occupait presque tout l'espace. Je n'avais aucun endroit où fuir ni me cacher. Il n'y avait plus que la nuit noire et, très loin en dessous, le sol. Le vent glacé soufflait impitoyablement à travers les arches. Je venais moi-même de me condamner... J'étais perdu.

Frissonnant, j'ai resserré mon étreinte autour de la poignée de l'épée afin de contrer Zombie.

Dans la pâle clarté de la lune, son sourire diabolique paraissait plus menaçant. Il savait qu'il me tenait à sa merci en bloquant la seule issue possible, l'escalier.

Je l'ai vu se pencher en arrière sous une arche, se hisser d'un bond sur le rebord de pierre, puis s'accrocher à la rambarde en fer forgé qui courait tout autour du sommet de la tour. Il s'est soulevé d'un bras comme s'il s'apprêtait à exécuter un numéro d'acrobatie. J'ai compris ce qu'il mijotait : il voulait pousser la cloche avec les pieds et la balancer de toutes ses forces sur moi ! J'allais être précipité dans le vide !

Satisfait de la panique qu'il lisait sur mon visage, il m'a adressé un grand sourire.

– Adieu, Cal.

Et il a donné une violente poussée à l'énorme masse qui a fondu sur moi. Aussitôt, j'ai sauté en l'air et attrapé la rambarde en fer forgé, évitant ainsi la collision mortelle. Un souffle m'a enveloppé quand la cloche m'a frôlé. Puis elle a versé dans l'autre sens, avec une force décuplée. Perché en équilibre précaire sous son arche, Zombie a été fauché en pleine poitrine. Il a disparu dans les ténèbres avec un hurlement de terreur qui s'est achevé par un atroce bruit mat.

J'étais partagé entre la joie d'avoir triomphé et l'effroi que m'inspirait ce plongeon fatal.

J'ai dû esquiver la cloche lorsque je me suis penché craintivement par-dessus le rebord de l'arche d'où Zombie avait basculé.

Il gisait, le corps disloqué, entre les cactus. Une vision sinistre.

J'ai dévalé l'escalier de la tour, l'épée serrée contre moi.

Dans le hall, sœur Thérèse accourait dans ma direction en longue chemise de nuit blanche et bonnet de dentelle, comme une apparition fantomatique échappée d'un vieux film. Elle avait l'air furieuse.

– Non mais qu'est-ce qui te prend ? Que fais-tu donc ici à cette heure ?

Une lumière s'est allumée, révélant derrière sœur Thérèse un groupe de religieuses armées de balais et de chandeliers.

– J'exige une explication sur-le-champ !

J'ai posé l'épée contre le mur avant de descendre les dernières marches.

– Un intrus s'est introduit dans le couvent, me suis-je justifié. Je crois qu'il s'apprêtait à cambrioler une chambre quand je l'ai surpris. Il m'a attaqué et poursuivi jusqu'en haut du clocher.

– Je me disais bien que ma montre avait disparu ! s'est écriée une sœur.

Soudain, mes jambes ont flageolé.

J'ai dû me retenir à la rampe que Zombie avait fait éclater avec son coup-de-poing américain.

– Et où est-il à présent ?

– Il est tombé.

– Comment ça, tombé ? s'est étonnée sœur Thérèse.

– Tombé du clocher.

– Sainte Marie mère de Dieu, a-t-elle chuchoté, horrifiée.

134

Le petit groupe s'est rué vers les doubles portes pour les ouvrir, puis jeté dans la nuit, enveloppé d'un halo de lumières tremblotantes.

Je n'ai pas tout de suite vu Zombie, mais un grand trou entre les cactus, à l'endroit où son corps s'était écrasé sur les plantes grasses. Puis une main, tordue, ensanglantée, inerte.

Accompagnée d'une autre religieuse, sœur Thérèse s'est approchée de lui. Les deux femmes se sont accroupies tandis que je reculais dans l'ombre. Vue en contrebas, la sombre tour semblait incroyablement élevée, on aurait dit qu'elle touchait le ciel.

Sœur Thérèse a laissé échapper un cri étouffé. L'autre sœur s'est relevée et tournée vers nous, le visage grave.

– Il est mort, a-t-elle murmuré.

05:58

Dans sa chute, Zombrovski s'était brisé la nuque. En état de choc, j'ai regardé les religieuses se regrouper autour de lui et chuchoter des prières tout en tenant la petite croix en argent qu'elles portaient au cou.

Dans la poche du mort, elles ont retrouvé la montre, les perles d'un chapelet et un anneau. Heureusement pour moi, cette crapule n'avait pas pu résister à la tentation de dépouiller les sœurs endormies pendant qu'il visitait les cellules une à une, à ma recherche.

– Tu n'as rien, Cal ? s'est inquiétée sœur Thérèse tandis qu'on jetait un drap sur le corps de Zombie.

Seul, sur le seuil de la porte, les jambes tremblantes, je m'efforçais de reprendre mes esprits.

– Il ne t'a pas blessé, au moins ? a-t-elle insisté.

– Non, ça va, merci. Je suis juste un peu choqué.

– Tu t'es servi de cette arme ? a-t-elle demandé en désignant l'épée de saint Ignace que j'avais reposée à sa place.

J'ai acquiescé.

– Pour me défendre, oui.

– Tu n'avais pas le choix. Saint Ignace était un guerrier. Il faut parfois avoir recours à la force pour combattre le mal. Cet individu a suivi le mauvais chemin. Prions pour son salut.

Elle a secoué la tête avant de pousser des cris de protestation dès qu'elle a vu les bleus et les coupures que Zombie m'avait laissés en souvenir.

– Incroyable ! s'est-elle exclamée tout en examinant mes mains écorchées. Nous faire cambrioler juste après ton arrivée. Nous avons eu de la chance que tu sois là.

L'air autoritaire, une religieuse qui rajustait son bonnet de nuit autour de sa figure rebondie s'est approchée de nous :

– Sœur Thérèse, pourriez-vous prévenir les autorités, s'il vous plaît ? Instruisez-les de l'intrusion de ce voleur et de sa mort.

– Certainement, ma mère.

La police ne tarderait pas. Quant à Sligo, je préférais ne pas penser à sa réaction lorsqu'il apprendrait que l'un de ses hommes était hors-jeu. Définitivement. Il fallait que je quitte Manressa sans attendre. Que je m'éloigne de Radcliffe.

– Tu as été très courageux, mon garçon – et *imprudent*, m'a dit sœur Thérèse. Je ne manquerai pas de le signaler au brigadier McDermot. Il tiendra sûrement à te parler. Bon, je rentre vite l'appeler.

06:21

Sœur Thérèse était au téléphone avec la police. J'avais intérêt à mettre la plus grande distance possible entre le cadavre de Zombrovski et moi, et je ne disposais pour cela que de quelques minutes. J'ai couru à ma chambre réunir mes affaires pour les fourrer dans mon sac à dos, y compris les papiers récupérés dans les archives du couvent. Puis je suis ressorti en vitesse. J'ai eu un pincement au cœur : en me sauvant, j'abandonnais Emily. J'espérais que ses documents me fourniraient assez d'indices pour progresser.

Arrivé à la porte du couvent, j'ai entendu des voitures s'arrêter devant la grille. Les religieuses qui, jusque-là, tournaient en rond dans le hall, se sont précipitées à l'entrée.

– C'est sûrement le brigadier McDermot, a supposé sœur Thérèse en s'enveloppant dans un manteau noir.

Je me suis efforcé de prendre un air dégagé en cachant au mieux mon sac à dos, puis je me suis rué vers la cuisine. Sœur Thérèse et la Mère supérieure discutaient avec les policiers. Leurs voix se rapprochaient. Ils n'allaient pas tarder à entrer. J'ai entrebâillé la porte de service, dépassé la buanderie, traversé le jardin potager et contourné le couvent.

Caché derrière le mur, j'ai jeté un coup d'œil vers l'entrée principale du bâtiment afin d'évaluer la situation. Faiblement éclairés par le soleil qui commençait à se lever, la voiture de police et le fourgon du coroner[1] étaient stationnés sur l'herbe, en dehors de l'allée. Un petit groupe entourait le cadavre de Zombrovski. Des flashs d'appareils photo crépitaient et les religieuses chuchotaient entre elles.

Même en courant, je ne pourrais jamais atteindre assez vite l'extrémité de l'allée sans être vu ni fuir loin de Manressa. J'ai scruté les alentours à la recherche d'une idée. Le minibus ! Non. Impossible de regagner la cuisine pour y prendre les clés. Trop tard.

---

1. Officier de police judiciaire des pays anglo-saxons.

J'ai soudain aperçu une imposante moto customisée d'un bleu lumineux, posée sur sa béquille près de l'abri de jardin. La clé était encore sur le contact. C'était sans aucun doute Blue Star, la moto de Matt.

Même si Boris et moi avions fait du moto-cross avec un copain, deux ans plus tôt, jamais je n'étais monté sur un tel engin! J'ai sauté en selle, une jambe au sol pour garder mon équilibre, vérifié que mon sac à dos était bien attaché sur mes épaules, et enfilé le casque noir rutilant suspendu à une poignée. Le contact mis, j'ai replié la béquille du pied. Quand j'ai enclenché la vitesse et accéléré, la puissante machine a rugi puis bondi en direction de la grille.

Je n'avais pas atteint la porte qu'un coup de feu a éclaté. Une balle m'a frôlé! Je n'en revenais pas!

Les policiers tiraient à vue sans sommation et sans savoir qui j'étais?

J'ai déporté la moto vers la gauche, dans un dérapage d'enfer, pour foncer derrière l'abri de jardin, en passant sous une corde à linge où séchaient des vêtements.

Quelques secondes plus tard, des cris se sont élevés partout et des gens se sont mis à courir en tous sens.

Le cœur battant, j'ai risqué un regard à travers des draps, scrutant le terrain, à la recherche du tireur.

Soudain, j'ai aperçu mon agresseur.

Ce n'était pas un policier qui m'avait tiré dessus... c'était Bruno – le partenaire de Zombie! Embusqué dans le clocher, il occupait une position idéale pour un sniper. Un sniper avide de vengeance.

Une autre balle a ricoché sur un incinérateur et fendu une latte de bois, à quelques centimètres de ma tête. Il ne craignait pas la police!

Les cris s'intensifiaient autour du couvent. Des sirènes hurlaient dans le lointain, tout le monde s'agitait tandis que je ne parvenais pas à détacher mon regard de Bruno.

Le couvent si paisible abritait maintenant la police, un cadavre, l'homme de main de Sligo et l'adolescent le plus recherché de l'État. Je courais un double danger : je devais échapper à la fois à Bruno et à la police, en franchissant les grilles au nez et à la barbe de mes poursuivants.

J'ai fait avancer la moto au ralenti jusqu'à l'angle de l'abri de jardin le plus proche de la grille. Mon plan consistait à accélérer à fond, serrer les dents, jaillir par surprise et filer.

Malgré la présence de la police, Gilet Rouge était capable de m'abattre pour m'empêcher d'atteindre mon seizième anniversaire.

140

Un policier a hurlé dans un mégaphone, ordonnant à Bruno de jeter son arme. Plusieurs hommes braquaient leur pistolet dans sa direction. S'ils restaient concentrés sur lui, j'avais une chance de m'en sortir vivant.

Mais au moment où j'allais appuyer sur l'accélérateur, j'ai remarqué un détail imprévu. Deux policiers, arme au poing, étaient postés de chaque côté de la grille.

Je n'avais d'autre possibilité que de passer entre eux. Le cerveau en ébullition, je me suis efforcé de trouver une idée.

De nouveaux coups de feu ont éclaté. Une balle m'a sifflé aux oreilles, la suivante a pulvérisé le pare-brise d'une des voitures de police. Le visage en sueur, j'ai remis le contact. Blue Star a rugi.

J'ai lâché le frein puis tourné la manette des gaz à fond. La moto s'est cabrée et élancée dans un vrombissement formidable. Accroché aux poignées, les genoux serrés contre le réservoir, je me suis dirigé droit sur les portes.

Les yeux levés vers le clocher, les deux policiers ont fait brusquement volte-face vers moi. Leurs armes dangereusement braquées dans ma direction, ils m'ont crié de m'arrêter.

Un coup de feu tiré depuis le clocher a retenti. Aussitôt, les policiers ont détourné leurs armes vers Bruno. Ils ne savaient plus qui viser !

141

Profitant de leur confusion, j'ai accéléré, rentré la tête dans les épaules et, cramponné à la moto surpuissante, disparu sur le chemin de terre en soulevant un nuage de poussière.

J'avais réussi à leur échapper.

J'ai foncé à travers la campagne, laissant Bruno et les policiers s'affronter.

08:11

La police n'aurait aucun mal à identifier l'intrus du couvent de Manressa. J'ai donc continué ma course en direction du sud, m'attendant d'une seconde à l'autre à entendre le hurlement d'une sirène derrière moi.

Une fois sur la route, Blue Star constituait un handicap. Tous les commissariats de la région allaient recevoir son signalement. Je devais me résigner à l'abandonner. J'ai décidé de rouler tant qu'il y aurait de l'essence dans le réservoir et de terminer à pied mon voyage de retour jusqu'à Richmond.

Quand le moteur a commencé à tousser, j'ai quitté la route pour dissimuler la moto dans un endroit désert, sous des branches et des feuilles. J'espérais que Matt la récupérerait bientôt. Un jour, peut-être, je trouverais le moyen de le remercier.

24 juillet
J –161

5 Enid Villa
Crystal Beach

02:02

J'ai envoyé un texto à Boris :

> 📱 2retour a Enid. Zombie MORT. Coups 2 feu entre police & Bruno. Cpa cmt suis encor vivan. AppL moi D q T réveillé.

Couché sur le tapis du salon, j'ai parcouru les trois lettres de Piers Ormond. Ce n'étaient pas seulement ses pattes de mouche à l'encre sépia qui rendaient leur lecture difficile : au bas de chaque page, il avait tourné la feuille de côté pour continuer à écrire sur ses propres mots. Comme s'il avait manqué de papier.

Je tombais de sommeil, cependant je tenais à changer de look. Je n'allais pas faciliter la tâche à ceux qui me traquaient.

La panique qui pulsait chaque jour dans mes veines s'était accrue depuis la mort de Zombie. Si j'avais un truand de moins à mes trousses, Sligo s'acharnerait désormais deux fois plus sur moi.

Je devais devenir méconnaissable. J'ai contemplé mon reflet dans le miroir de la salle de bains immaculée, ouvert le paquet de teinture brune que j'avais acheté dans une pharmacie, puis attrapé une paire de ciseaux.

Une fois la transformation opérée, je me ressemblais déjà beaucoup moins, avec les cheveux foncés et très courts. J'ai nettoyé le lavabo de façon à ne laisser aucune trace.

Un jour, pourrais-je enfin redevenir moi-même?

07:21

– Zombrovski est mort? a lancé Boris d'une voix endormie, mais choquée.

Comme son coup de téléphone m'avait réveillé, j'étais moi aussi un peu hébété.

– Je l'ai surpris en train de rôder dans les couloirs du couvent en pleine nuit. On s'est retrouvés tous les deux au sommet du clocher... il a voulu m'écraser avec la cloche. Finalement, c'est lui qui a été projeté dans le vide.

144

Boris était stupéfait car il ne répondait rien. J'ai continué :

– Il s'est cassé le cou en atterrissant dans les cactus. Les religieuses ont appelé les flics. Il fallait que je me sauve de toute urgence. C'est à ce moment-là que Bruno a fait son apparition. Il m'a tiré dessus… raison de plus pour que je déguerpisse.

– Ce n'est pas une bonne nouvelle, Cal, a enfin commenté Boris sérieusement. Sligo doit être fou de rage. Il va se démener pour… pour t'avoir.

De toute évidence, Boris avait hésité à prononcer « pour te tuer ».

– Je sais. C'est pour ça que je suis retourné me planquer à Enid Villa. Ton oncle n'a pas prévu de passer, j'espère ?

– Non. Pas pour l'instant, rassure-toi.

– Bon, alors raconte. Qu'est-ce que tu as découvert sur le Joyau ?

– Je l'ai examiné à la loupe, comme tu me l'avais demandé. J'ai d'abord cru qu'il y avait des petites égratignures près des charnières, mais en regardant de plus près le liseré en or qui borde le portrait, j'ai distingué des lettres gravées.

– Maintenant, dis-le : « Winter ne mentait pas ».

Boris a grogné.

– Allez.

– OK, OK, elle ne mentait pas ! a-t-il admis.

Mais ne t'imagine pas que je vais lui faire confiance pour autant. Bref : l'inscription est en français. J'ai voulu utiliser des logiciels de traduction en ligne. Ils ne m'ont proposé que des débilités.

– Il faut qu'on interroge quelqu'un qui parle français, ai-je décrété en pensant instantanément à Winter (je n'aurais pas été surpris qu'elle connaisse cette langue). Et, aussi, qu'on étudie ensemble les lettres que j'ai récupérées dans les archives du couvent.

– Tu as mis la main sur le testament de Piers Ormond ?

– Non, en revanche j'ai déniché des lettres qu'il a écrites à ses parents. Elles sont difficiles à déchiffrer.

– Qu'est-ce qu'on attend ? Je passe te voir dès que je peux.

– Ton issue de secours par le jardin de derrière est toujours sûre ?

– A priori, oui. Si je sens qu'il y a un risque, je ne viens pas. Je n'ai repéré personne dans la rue depuis plusieurs jours. En plus, c'était Zombrovski mon fidèle ange gardien... il ne risque plus de pointer son nez !

Boris a lâché un petit rire gêné avant d'ajouter :

– Cet aprèm', ça te va ?

– Parfait. À tout'.

– Waouh! Le look!

Boris a dit ça d'une telle manière que j'ignorais s'il se fichait de moi ou pas.

J'avais changé de coiffure et je portais un blazer déniché dans une friperie, avec un jean et un tee-shirt.

– Ça sent bon. Qu'est-ce que c'est? ai-je demandé en fouillant le sac que Boris portait.

Il a consulté sa montre.

– Tu veux qu'on dîne tout de suite?

Ça ne lui faisait pas peur! On a attaqué les kebabs avant qu'ils refroidissent. Entre deux bouchées, je suis revenu en détail sur mon voyage à Manressa, puis, une fois rassasiés, nous avons enchaîné avec l'examen du Joyau.

– Il ne me quitte jamais, a déclaré Boris en me le tendant avec précaution en même temps qu'une loupe. Regarde.

Effectivement, ce qui au premier abord ressemblait à des égratignures se révélait être un ensemble de lettres formant des mots.

Boris a glissé une feuille de papier sous mes yeux :

– Tiens, j'ai transcrit l'inscription là-dessus.

J'ai lu :

AMOR ET SUEVRE TOSJORS CELER.

– Bizarre, ça parle de céleri?

– « Amor » signifie « amour », m'a expliqué Boris. En revanche je ne suis pas sûr du reste.

Je pourrais interroger madame Rodin, au lycée. Je trouverai bien un prétexte... À ton tour de me montrer les lettres de Piers Ormond.

– À mon avis, il devait manquer de papier, ai-je dit en attrapant l'enveloppe. Quand il arrivait au bout de la page, il la tournait sur le côté pour continuer par-dessus ce qu'il avait déjà écrit.

Boris a sorti son ordinateur et m'a rendu les lettres.

– Tu n'as qu'à lire à haute voix, je taperai le texte au fur et à mesure. Ce sera plus facile. Concentre-toi uniquement sur les lignes que tu lis.

J'ai mis de côté les lettres sans intérêt pour nous et commencé directement par celle dont l'adresse avait attiré mon attention.

Nouveau_document.txt   ○ ⊗ ⊗

L'Abbaye Noire
Kilfane Road
Irlande
Octobre 1913

Mes chers parents,
L'aide du père Abbott m'a été précieuse. D'après lui, la rumeur est fondée et considérée, ici, comme une réalité.

Il m'a également appris que les deux derniers vers de l'Énigme Ormond sont censés indiquer le lieu exact, et qu'ils se trouveraient à la bibliothèque de l'Abbaye.

Malheureusement, il est impossible de le vérifier sans examiner, un par un, tous les volumes de cette immense bibliothèque. Mais je suis prêt – si le père Abbott m'accorde l'autorisation – à revenir l'automne prochain pour m'atteler à cette tâche. J'ai entendu une histoire merveilleuse à propos de l'ange Ormond qui, paraît-il, viendrait au secours de l'héritier dans un moment de grand danger.

J'espère que Josie est sage et mange bien ses légumes. Dites-lui que j'ai un cadeau pour elle.

Votre fils dévoué,
Piers

▼

– Kilfane! s'est écrié Boris. Comme sur le calque!

– Oui. C'est le premier détail qui m'a sauté aux yeux.

Boris a fouillé son sac d'où il a sorti le dossier contenant le calque où les mots « G'managh » et « Kilfane » avaient été notés, séparés par un point. Je me suis rappelé la question de mes ravisseurs : « Ton père t'a donné une carte, hein ? »

Était-ce à cette feuille de papier qu'ils pensaient?

– À ton avis, que signifie ce point entre les deux noms? ai-je poursuivi.

– Un autre lieu? Sans nom?

– Je me demande si Piers est retourné à l'Abbaye Noire l'année suivante, comme il en avait l'intention, et s'il a découvert les deux derniers vers de l'Énigme. Il les avait peut-être en sa possession!

Boris a secoué la tête.

– Non, mec. Piers Ormond n'y a jamais remis les pieds. La première guerre mondiale ne lui en a pas laissé le temps : elle a éclaté pendant l'été 1914.

– De quelle rumeur parle-t-il? Tu crois qu'elle a un rapport avec la Singularité Ormond?

Boris a haussé les épaules.

– Je m'intéresse davantage au passage où il suggère qu'une version complète de l'Énigme Ormond – ou, du moins, ses deux derniers vers – se trouverait dans la bibliothèque de l'Abbaye Noire.

– Prenons le bus pour aller vérifier sur place, ai-je plaisanté.

Boris s'est passé les mains dans les cheveux.

– C'est frustrant que ce soit si loin. Mais tu seras peut-être aidé par ton ami l'ange Ormond!

– Il doit être extrêmement discret, ai-je ironisé. Car je n'ai rien remarqué.

– Tu es vivant, au moins! a répliqué Boris en tapotant avec impatience le clavier de son ordinateur. Continuons!

Piers avait rédigé une autre lettre sur la même feuille de papier.

Je l'ai déchiffrée à voix haute.

Nouveau_document.txt ○⊗⊗

Chers père et mère,

En effectuant mes recherches, je suis tombé sur une information extraordinaire concernant la famille. Grâce à celle-ci et aux documents et écrits qui reposent entre les mains de notre famille depuis des générations, j'espère accomplir l'unique but de mon voyage en Irlande : découvrir la vérité sur la Singularité Ormond.

Le conservateur des livres rares de Trinity College, un homme charmant et serviable, m'a présenté un journal intime très ancien, tenu par un de nos ancêtres Ormond, et qui raconte en détail une histoire incroyable. Trop incroyable pour être vraie, de l'avis du conservateur. Elle existe cependant, consignée par mon arrière-grand-père Ormond comme un fait avéré.

– Génial! Piers Ormond était bien sur la piste! s'est exclamé Boris. Déjà, en 1913, il connaissait la Singularité Ormond. Il entreprenait la quête que nous poursuivons.

– Et mon père a pris sa suite un siècle plus tard. Lui aussi est tombé sur une information fabuleuse qu'il ne voulait pas coucher par écrit. Il comptait tout me dévoiler en rentrant à la maison. Mais à son retour, il était trop malade pour communiquer autrement que par des dessins énigmatiques.

– Si l'arrière-grand-père de Piers Ormond est impliqué, a observé Boris en relisant les lignes qu'il avait tapées, cela nous fait remonter à la fin du XVIIIe siècle.

La lettre se poursuivait ainsi :

Nouveau_document.txt ○⊗⊗

J'ai fait jurer le secret au conservateur des livres rares, au cas où tout se révélerait exact. Loin de s'offenser de ma requête, celui-ci m'a assuré qu'il était un fidèle sujet de la Couronne. Puis il s'est dépeint comme un homme de la plus grande discrétion.

Par ailleurs, selon O'Donnell, un antiquaire de Dublin, les deux derniers vers de l'Énigme Ormond auraient été ajoutés au manuscrit original vers la fin du XVIe siècle.

L'Énigme d'origine daterait d'une période anté-
rieure, sans doute autour de 1550. O'Donnell
n'a aucun renseignement sur leur contenu.

J'espère que les recherches approfondies que
j'entreprendrai à la bibliothèque de l'Abbaye Noire
me permettront de découvrir leur teneur. Les
moines m'en apprendront peut-être plus. Quant à
moi, je vous en dirai davantage dès mon retour
à la maison. L'affaire est trop importante, trop
énorme pour risquer de l'ébruiter dans une lettre.
Si j'obtiens d'autres informations des moines,
je les confierai à la garde de mon notaire. Dans
les jours qui viennent, je compte me rendre à
Carrick-on-Suir.

Votre fils dévoué et obéissant,
Piers

Boris a relevé vers moi des yeux ronds que
l'excitation agrandissait.

– On s'approche à pas de géant de la résolution du DMO, le Dangereux Mystère des
Ormond. C'est génial !

Boris a réuni les lettres et les a soigneusement repliées. Au moment de les remettre dans
la grande enveloppe, il a froncé les sourcils.

– Tiens ? Qu'est-ce que c'est ?

Il l'a secouée, faisant glisser une fine feuille
de papier que j'ai étalée par terre, devant nous.

– Oui, c'est un arbre généalogique… incomplet. Qui doit avoir un lien avec la Singularité Ormond. Enfin, je suppose que c'est ce que signifient les initiales « S. O. ».

– Il est à moitié effacé, malgré tout il semble bien que quelqu'un recherchait les fils aînés d'une branche particulière des Ormond.

Soudain, mon ami a eu l'air inquiet. Nous savions tous les deux que si l'arbre généalogique de ma famille avait été complété, le nom de mon père aurait été encerclé, puis le mien. Allais-je mourir comme mon père ? C'est une question qu'on pouvait se poser !

– Alors ce Ferdinand…

– Mon arrière-grand-père.

– … était le suivant.

– Le suivant à subir la malédiction des Ormond.

– C'est une façon de voir. Après Ferdinand, vient le tour de ton grand-père, puis de ton père.

– Oui. Il était le premier garçon de sa génération, puisqu'il est né juste avant son frère jumeau.

– Ensuite, c'est toi. Donc, quelle qu'elle soit, la Singularité Ormond te touchera.

– Par « toucher », j'espère que tu ne veux pas dire « tuer ».

154

Boris s'est mis à rire à la vue d'une photo envoyée sur mon blog – deux filles en tee-shirt portant la phrase « Cal est innocent » – lorsqu'il a repéré un des messages de Winter.

– Pourquoi signe-t-elle « Petit Oiseau » ?

– Je crois que ses parents l'appelaient ainsi. Ces mots sont gravés au dos de son médaillon.

– Si tu veux mon avis, elle continue à te manipuler comme un pantin.

J'ai repensé à la dernière fois que je l'avais vue, dans son studio, quand elle s'était confiée à moi.

– Elle nous a beaucoup aidés, Boris. Sans Winter, on n'aurait pas mis la main sur le Joyau et on serait passés à côté de l'inscription.

Il n'avait pas l'air convaincu.

– J'ai des doutes. On dirait qu'elle te fait un cadeau chaque fois qu'elle perd ta confiance. Juste au moment où tu parais ne plus supporter ses mensonges, elle te jette un appât pour te ramener dans ses filets. Écoute, je reconnais qu'elle a l'air d'une nana vraiment sympa et qu'elle nous a dépannés plus d'une fois, mais, je t'en supplie, sois prudent. OK ?

Je l'écoutais à peine car je venais de remarquer un nom étrangement familier au bas d'un nouveau message sur mon blog. C'était celui que Bart m'avait fait répéter juste avant de mourir dans sa propriété de Kilkenny. *Le fameux nom !*

– Qu'est-ce qui te prend? a demandé Boris en voyant ma tête.

– C'est lui! Là! me suis-je écrié.

– Qui lui? De quoi tu parles?

– Le notaire dont j'avais oublié le nom! Drake Bones!

Boris a fixé l'écran, puis s'est tourné vers moi.

– Pardon?

B L O G	Déconnexion
Cal Ormond **Écrire à Cal** **Laisser un commentaire**	D. Bones Contactez-moi en cliquant sur ce lien d'où vous serez dirigé vers un forum de discussion privé (à condition de répondre, par mesure de sécurité, à une série de questions relatives à votre identité). Il est urgent que je m'entretienne avec vous. Drake Bones

– C'est lui, je te dis! Le notaire! Le notaire qui conserve le testament de Piers Ormond!

– Alors qu'est-ce que t'attends, mec?

Mon ami ne tenait plus en place.

– Et si c'était une ruse? Les flics ne peuvent pas pirater mon blog?

– J'ai tout verrouillé, m'a rassuré Boris. Jetons un coup d'œil à ces questions.

Répondez aux questions suivantes :

Q1 : Date de naissance de votre sœur

R1 : |

Q2 : Nom de jeune fille de votre mère

R2 :

Q3 : Date de naissance de votre père

R3 :

Q4 : Deuxième prénom de votre père

R4 :

J'ai rempli le formulaire, puis regardé Boris quand un message réclamant mon numéro de téléphone s'est affiché.

– Non. Demande-lui le sien.

J'ai donc tapé : « Je préférerais avoir le vôtre, merci. »

25 juillet
J –160

Depuis le départ de Boris, la veille, j'avais consulté mon blog une vingtaine de fois sur mon nouveau portable. Je brûlais d'impatience de découvrir le numéro de téléphone de Drake Bones.

Dès que son message est arrivé, j'ai appelé.

– Vous êtes très difficile à joindre, a-t-il commencé.

– Et je compte bien le rester. Je pense que vous comprenez les raisons qui m'obligent à me montrer vigilant en ce moment.

– Naturellement. Mais vous pouvez compter sur mon entière discrétion. Je suis convaincu que vous êtes innocent des accusations qui pèsent sur vous. Vous vous intéressez à la Singularité Ormond ?

159

J'ai gardé le silence, par prudence.

Bones a poursuivi :

– Je possède un certain document qui, je crois, vous sera très utile une fois réuni aux autres éléments que vous avez peut-être pu découvrir. J'ai été le notaire de plusieurs membres de votre famille. Celle-ci confie ses affaires à notre étude depuis des générations.

– Mon grand-oncle Bartholomé m'a donné votre nom. Il m'a confié que vous déteniez le testament de son grand-oncle, Piers Ormond, un soldat mort pendant la première guerre mondiale. Et peut-être d'autres papiers aussi.

– C'est exact. Notre étude conserve des milliers d'archives, parfois très anciennes. Cependant, certaines complications se sont produites à propos de ce document particulier.

– Lesquelles ?

J'étais perplexe.

– Une de mes clientes m'a confié que vous aviez en votre possession un bijou d'une valeur inestimable ainsi qu'un manuscrit du xvie siècle. Est-ce exact ?

J'ai hésité. Comment le savait-il ?

– Pourquoi vous intéressez-vous à moi et à ma famille ? ai-je demandé.

– Mon métier consiste à tout connaître des affaires de famille. Un excellent enquêteur est au service de notre étude. Par ailleurs, je ne manque pas de contacts privés, des gens qui me tiennent informé. Ma cliente veut s'assurer que vous détenez ces deux objets. Elle souhaite que je le lui confirme, car elle possède peut-être une chose très importante pour vous.

– Qui est votre cliente?

– Je n'ai pas le droit de vous le révéler maintenant. Le moment venu seulement.

J'ai réfléchi quelques secondes. Il fallait que j'en parle à Boris. Le Joyau et l'Énigme m'avaient coûté très cher. Je n'avais pas envie de les exposer au grand jour, même à un notaire comme Bones.

– Quand pouvons-nous nous rencontrer? a-t-il lancé.

Le bruit d'un véhicule qui se garait dehors m'a distrait.

– Je vous rappellerai.

J'ai raccroché.

Des portières ont claqué. J'ai couru à la fenêtre et écarté les rideaux. C'était l'oncle de Boris!

J'ai fourré toutes mes affaires dans mon sac à dos puis je me suis faufilé par la porte de derrière. Je devais courir le risque de m'introduire dans la propriété voisine en escaladant le mur couvert de lierre.

Heureusement, le jardin de cette villa ressemblait à une véritable jungle tropicale où il était facile d'avancer sans se faire repérer. Jusqu'à ce que je me heurte à un obstacle : une grille verrouillée.

À la seconde où ma main l'a touchée, une alarme assourdissante s'est déclenchée et des lumières bleues se sont mises à clignoter tout autour de la maison. J'ai escaladé la grille puis j'ai longé rapidement le côté de la villa, l'alarme hurlant de plus belle.

Une fois sur la route, j'ai sorti mon portable pour appeler Boris et ralenti l'allure, en m'efforçant de passer inaperçu.

14:06

Boris portait à nouveau ses lunettes de soleil quand je l'ai retrouvé dans une ruelle, près de Liberty Mall. Il était vraiment désolé que son oncle ait encore surgi à l'improviste, mais je n'avais pas de temps à perdre. Je lui ai rapporté ma conversation avec Drake Bones.

– Qu'est-ce que tu en penses ? Il a beau être notaire, je n'aime pas beaucoup l'idée de lui montrer le Joyau et l'Énigme.

– Ouais. À mon avis tu ne dois faire confiance à personne. À part moi, bien sûr. Je me demande pourquoi il ne te remet pas simplement les documents qu'il détient. Pour quelle raison a-t-il besoin de voir l'Énigme et le Joyau ? Et qui est sa cliente ?

– Aucune idée. Toute cette situation me paraît très bizarre. Tu ne crois pas qu'il veut juste s'assurer que c'est bien à moi qu'il a affaire ?

– Quoi ? Tu suggères que ton sosie, Cal Ormond bis, pourrait interférer dans l'histoire ?

Sa question m'a étonné.

– Non. Je n'y avais pas songé. D'ailleurs, à quelle pièce du puzzle du DMO correspond-il, celui-là? Aurais-je un jumeau dont j'ignore l'existence? Bartholomé et Emily étaient jumeaux. Mon père et Ralf aussi...

L'inquiétante ritournelle de ma grand-tante à propos des agneaux perdus s'est mise à tourner dans ma tête. *Deux petits agneaux perdus dans la nuit glacée, le premier fut sauvé, le deuxième jamais retrouvé.*

– Ça alors! s'est exclamé Boris en levant les yeux de mon portable avec lequel il jouait tout en parlant. Je surfais sur ton blog, et...

– Quoi?

Je le lui ai arraché des mains. Mon cœur a bondi dans ma poitrine quand j'ai vu le dernier message. Pendant quelques secondes, je n'en ai pas cru mes yeux.

Ma propre mère m'envoyait une vidéo.

J'ai cliqué sur « Play ».

Assise à une table, chez Ralf, ma mère, amaigrie, la mine fatiguée, le teint gris, s'est adressée à moi d'une voix douce et calme :

– Cal, je sais que tu me regardes. Je t'en prie, mon chéri, contacte-nous. Nous sommes si inquiets à ton sujet. Gaby n'est pas tirée d'affaire, elle est toujours dans le coma... mais nous l'avons ramenée à la maison, nous nous occupons d'elle. Tu nous manques, Cal. Je ne t'ai pas vu depuis si longtemps! Tu sais où nous joindre, alors appelle-nous. Je t'en supplie, Cal.

Il n'existe pas de problèmes sans solutions. Ici, tu obtiendras l'aide dont tu as besoin. Ralf et moi mettons tout en œuvre pour te retrouver. Je t'aime. Je te pardonne. Quoi que tu aies pu faire, tu es mon fils, tu le resteras toujours. Je ne veux pas que tu fêtes seul ton seizième anniversaire. Appelle-nous, Cal. Je t'en prie, appelle-nous.

J'avais le souffle coupé.

Boris me dévisageait d'un air tendu.

– Qu'est-ce que je peux faire ? ai-je lancé. J'imagine que c'est dur pour ma mère, seulement il est hors de question que j'abandonne pour rentrer à la maison après tout le mal qu'on s'est donné, après toutes les épreuves qu'on a traversées. Je ne renoncerai pas à élucider le mystère de ma famille. En plus, si je retourne chez Ralf, je suis sûr d'aller droit en prison !

La tête dans les mains, anéanti, je me suis lamenté :

– Je n'arrive pas à croire que ma mère continue à douter de mon innocence...

– Elle finira par admettre la vérité, Cal. Comme tout le monde. Un jour, bientôt, m'a affirmé Boris. Au fait, madame Rodin s'occupe de traduire l'inscription gravée à l'intérieur du Joyau.

– Bravo pour l'habile changement de sujet, l'ai-je félicité.

164

Boris m'a restitué le Joyau et l'Énigme. Tête baissée, espérant que personne ne me suivait, j'ai marché dans les rues. Sans m'en rendre compte, j'avais pris l'habitude de scruter sans arrêt les alentours, de me tenir sur le qui-vive. Plus que jamais, j'avais envie de revoir Winter. J'ai sorti mon portable.

Tour de l'horloge

16:17

– Si on se rencontrait ? ai-je proposé. Je serais ravi de te montrer le Joyau Ormond, mais à une condition.

Je tenais à arranger ce rendez-vous afin d'éviter les mauvaises surprises.

– Tu me rejoins tout de suite et tu restes au téléphone avec moi jusqu'à ce que tu apparaisses sous mes yeux.

– Cal, je...

– C'est maintenant ou jamais. Je t'attends en haut de la tour de l'horloge.

– La tour de l'horloge ? Mais...

– Reste au téléphone et dépêche-toi.

– OK, OK, j'arrive !

Moins elle disposait de temps, mieux cela valait. Et si je l'empêchais de raccrocher, elle ne pourrait dire à personne où elle allait, ni avec qui elle avait rendez-vous.

Je l'ai entendue s'affairer, attraper des objets, fermer des fenêtres, des portes, dévaler un escalier, courir sur le trottoir.

– Je suis en route, m'a-t-elle annoncé.

– Ne parle pas, cours.

Un quart d'heure plus tard, Winter faisait son apparition en haut de la tour de l'horloge. Elle s'est pliée en deux, les mains sur les genoux, soufflant, haletant, le portable toujours collé à l'oreille.

– Tu peux couper ton téléphone à présent.

– J'ai été rapide, hein ? a-t-elle remarqué en relevant la tête.

Les joues rouges, des mèches de cheveux humides de sueur collées sur le front, elle s'est redressée pour bondir sur moi et me serrer dans ses bras.

– Ouah, du calme, me suis-je esclaffé.

J'étais surpris et, déséquilibré par son accolade, j'ai trébuché en arrière. J'ai passé un bras autour de sa taille pour nous éviter la chute.

– Oh, désolée. Je suis en nage, s'est-elle excusée.

À nouveau, j'ai ressenti cet étrange mélange de bonheur, de confusion et de gêne.

– Cal, je suis tellement contente de te revoir ! Mais qu'est-ce que tu as l'air… *ringard* !

Je l'ai lâchée en souriant.

– Eh oui, c'est moi, Joe Ringard.

– On devrait aller quelque part où examiner tranquillement le Joyau.

Elle a dû percevoir de l'hésitation dans mes yeux car elle a posé une main timide sur mon bras et ajouté :

– Tu dois me faire confiance. Je peux t'aider. Je sais tout sur Sligo. Enfin, presque tout. Et après ce qui est arrivé à Zombrovski... Que s'est-il passé au juste ? Non, tu me raconteras les détails sanglants plus tard. Si jamais Sligo me soupçonne d'être ton alliée...

Son visage est devenu livide. L'espace d'un instant, elle a ressemblé à une petite fille terrorisée. Le soupçon de méfiance qui subsistait en moi s'est évanoui. Je lui ai touché la main :

– Hé. Tout va bien. Jamais il ne l'apprendra. Pas par moi, en tout cas.

J'aurais dû enlever ma main, j'en étais incapable. Comme si un courant électrique passait entre nous.

Elle a doucement retiré la sienne.

– Sligo est absent en ce moment. Mon studio est donc l'endroit le plus sûr au monde. On y va ?

– Tu plaisantes ?

Je me souvenais de la visite surprise de son tuteur, la seule fois où je m'étais rendu chez elle.

– Je te jure. Il n'est pas en ville. Un de ses hommes de main est mort, a-t-elle déclaré avec un regard de connivence, et l'autre s'est fait prendre. Il est parti recruter des remplaçants. Mon appart est sûr, promis.

Maintenant que Zombrovski était mort et Bruno sans doute derrière les barreaux, Vulkan Sligo devait se démener.

12 Lesley Street

17:25

Nous sommes montés dans le studio de Winter, perché sur le toit d'un vieil immeuble. Elle a sorti des canettes de soda du réfrigérateur et les a posées sur le plan de travail, à côté d'un paquet de bretzels, tandis que je commençais à ouvrir mon sac. Une radio diffusait de la musique en sourdine.

Winter a pris un petit carnet et s'est assise, l'air attentive.

J'ai fermé la porte d'entrée à clé, jeté un œil par les fenêtres, tiré les rideaux. Je sentais qu'elle suivait chacun de mes gestes.

Ensuite, nous avons parlé de tout ce qui s'était passé depuis notre dernière rencontre. Je lui ai expliqué en détail mon face à face avec Zombrovski. Intriguée, elle m'écoutait en grignotant des bretzels et en hochant la tête.

À son tour, elle m'a raconté que Sligo avait piqué une crise de rage en apprenant la mort de son homme de main et que, d'un coup de poing, il avait défoncé une porte.

– Je détiens des lettres très anciennes écrites par Piers Ormond, ai-je poursuivi. Il y fait allusion à une histoire stupéfiante concernant notre famille. C'est exactement ce que mon père disait dans sa propre lettre. Étrange, non, que la même situation se reproduise cent ans après ?

– L'Histoire se répète souvent, a commenté Winter avant de se pencher vers moi. Tu avais l'air profondément triste en évoquant ton père.

– Demain, ça fera un an qu'il est mort. Je redoute cette date.

J'ai été obligé de détourner la tête : si je continuais à fixer ses yeux emplis de sympathie, je craignais de pleurer. Je me suis éclairci la voix avant de poursuivre :

– Piers Ormond avait recueilli des informations importantes qu'il a confiées au notaire de la famille, il y a presque cent ans. Mais comme il est mort pendant la première guerre mondiale, il n'a jamais réclamé ses papiers. Ce secret est resté enfermé dans les coffres de l'étude du notaire, et rien ne s'est passé jusqu'à ce que mon père découvre une piste l'année dernière, en Irlande, pendant son colloque.

– Ton père a repris les recherches là où Piers les avait interrompues. Et maintenant, c'est toi qui prends la relève.

– Exact. On croyait que mon père avait dilapidé nos économies parce qu'il était devenu fou, or ce n'était pas le cas. Il a sûrement utilisé cet argent pour acheter le Joyau qu'il avait réussi à retrouver.

– Eh bien ? Où est-il ce fameux Joyau Ormond ? Montre-le-moi, vite ! Je meurs de curiosité !

Elle souriait. J'ai déposé le Joyau sur la table.

– Ça alors ! Je n'ai jamais rien vu de plus beau !

Elle l'a fait tourner entre ses doigts. Elle l'a ouvert avec délicatesse puis s'est plongée dans la contemplation du portrait, dans son cadre ovale.

– Regarde… l'inscription dont je te parlais, a-t-elle dit en effleurant du bout des doigts les minuscules lettres gravées.

J'ai sorti le papier sur lequel Boris avait écrit les mots étrangers.

– Voilà la transcription.

– « Amor et suevre tosjors celer », a-t-elle lu. Tu imagines la valeur de cette miniature élisabéthaine ? Tu ne peux pas transporter ce trésor partout où tu vas dans un sac à dos, Cal ! C'est un joyau inestimable. Il faut que tu le mettes à l'abri. Dans un coffret, par exemple.

– Je l'avais confié à Boris quand je suis allé voir ma grand-tante. Maintenant que je l'ai récupéré, il ne me quitte plus. Je dors avec. Il ne peut pas être plus en sécurité.

Winter a reporté son attention sur l'Énigme qu'elle a relue en se concentrant. Elle avait un look vraiment génial avec ses cheveux indisciplinés entremêlés de rubans brillants qui encadraient son visage sérieux.

Tandis qu'elle étudiait tour à tour l'Énigme et le Joyau, je l'ai observée en repensant à la première fois où j'étais venu. Comme nous nous étions sentis proches alors : deux exclus sans attaches, sans parents sur qui s'appuyer.

Soudain, elle a bondi de sa chaise. Ses mains, qui tenaient l'Énigme, tremblaient d'excitation. Les yeux agrandis par la surprise, elle a ouvert la bouche, comme pour prendre la parole, puis elle l'a refermée et rouverte.

– Je viens de comprendre !

– *Quoi ?*

Elle a secoué la tête et les rubans de ses cheveux se sont mis à étinceler.

– Explique-moi d'abord tout ce que tu as appris sur ce bijou fantastique. Ensuite, je te révélerai ce que je viens de voir. Je ne peux pas croire que personne ne l'ait remarqué avant !

Même si ses yeux brillaient d'excitation, la détermination se lisait sur son visage.

– Parle. Dis-moi ce que tu as vu, ai-je insisté.

Winter attendait.

– Pas question. Toi d'abord. J'ai besoin d'être sûre que tu m'as tout révélé.

– OK, ai-je cédé. Mais tu sais déjà presque tout : mon grand-oncle m'a lu la description du Joyau, qui correspond à ce bijou. Ces deux éléments, l'Énigme et le Joyau, doivent être réunis pour permettre la résolution du mystère de la Singularité Ormond. Ils constituent...

– ... les deux moitiés du code à double clé, m'a-t-elle coupé.

– Exact.

– Ton grand-oncle avait raison !

Survoltée, elle a observé le Joyau puis l'Énigme. Elle a pris le bijou dans sa main, avec respect, et l'a ouvert délicatement.

– Tu connais la femme du portrait ?

– Évidemment. Elizabeth Ière d'Angleterre. C'est elle qui a donné ce bijou à mon ancêtre.

Avec un regard de triomphe, Winter a lancé :

– Et que sais-tu de cet ancêtre ?

– Il s'appelait Black Tom Butler, dixième comte d'Ormond. Il était son intendant et servait les intérêts de la Couronne. D'après Boris, il s'agissait d'une mission délicate, car il devait rester dans les bonnes grâces de ses compatriotes irlandais tout en conservant les faveurs de la reine d'Angleterre. Cependant il a sans doute réussi à la perfection puisqu'elle lui a offert le Joyau. Tu te souviens, il y a longtemps, on a associé le dessin du serveur au mot *butler*.

172

À présent examine celui de l'enfant à la rose, tu remarqueras qu'il y a une rose au dos du Joyau.

Winter a retourné le bijou tout en considérant les dessins un par un.

– J'imagine que ton père a réalisé ce sphinx pour te mettre sur la voie de l'Énigme, mais que signifie le buste de César ? Tu as une idée ?

– Non. Pas pour l'instant. Sauf que ça pourrait faire allusion à un dirigeant, à un chef. Peut-être à la reine. On n'a aucun indice sur le singe, non plus.

– Super.

Elle ne se moquait pas de moi. Cette fille était surprenante !

– J'adore les défis, a-t-elle roucoulé. Plus ils sont compliqués, plus ils me plaisent. Je vais chercher tout ce que je peux sur César, les énigmes, les pyramides et les sphinx. Et aussi sur les singes portant collier et balle. Il me semble avoir déjà vu celui-là quelque part.

Elle a gribouillé avec impatience une note sur son carnet.

– Si c'était un animal familier ? Il a un joli collier. Ton père a pu dessiner l'animal pour représenter son propriétaire ?

Cette idée était tout à fait recevable.

– Possible. À cause de la maladie, le cerveau de mon père fonctionnait par associations d'idées.

– Tu as l'air si triste, à nouveau. Ça va ?

J'ai acquiescé. Même si j'étais content qu'elle remarque mon chagrin, cela rendait les choses plus difficiles. Sa sollicitude m'obligeait à affronter ma tristesse, alors que j'aurais préféré l'ignorer et la chasser au loin. Très loin.

– Comme je te l'ai dit, demain c'est l'anniversaire de sa mort. Il s'est déjà écoulé un an. J'avais tant de questions à lui poser. Tant de choses à partager avec lui. Ce n'est plus possible. J'ai l'impression qu'une pierre tombale surgit devant moi quelques jours avant mon anniversaire.

À mon grand soulagement, Winter n'a rien répliqué. J'avais de nouveau le sentiment qu'elle comprenait exactement ce que je ressentais.

– Pour l'instant, je dois me concentrer sur ces indices, ai-je déclaré en désignant la table. Si tu veux bien m'en parler.

Elle a hoché la tête.

– OK. Une dernière chose.

Elle a fait glisser la feuille de calque vers elle, du bout de son petit doigt.

– Que sais-tu au sujet de ce document ?

– Un des noms désigne un village irlandais où mon père a peut-être séjourné. Quant à l'autre, aucune idée.

– Bien. Maintenant, je vais te révéler ce que j'ai vu dans ce code à double clé.

Les yeux brillants de détermination, Winter a ramassé sa propre copie de l'Énigme.

– Elle a fini par m'obséder à tel point que je l'ai apprise par cœur. Les mots se sont gravés dans ma tête. À la seconde même où j'ai ouvert le Joyau et découvert le portrait de la reine à l'intérieur, j'ai eu un flash : et si la dame mentionnée dans l'Énigme était la reine Elizabeth ? La même que celle du Joyau ?

La lumière s'est faite dans mon esprit. Réfléchissant tout haut, j'ai lancé :

– Si la dame de l'Énigme est la dame du Joyau, alors ces mots à propos de feuilles, de rond, de nombres et le reste... décrivent le médaillon au portrait ?

– Exactement !

Son visage, habituellement pâle, s'était coloré. Avec ses joues roses, elle ressemblait soudain à une fille comme les autres, et non plus à Winter.

– Je pensais qu'il pouvait s'agir d'une énigme chiffrée. Or, Cal, combien de feuilles d'or y a-t-il autour de l'émeraude ?

J'ai examiné le bijou.

– Huit.

– *De huit fueillez ma bele Dame est couronnée*, a-t-elle récité. Huit !

Aucun doute. Huit petites feuilles d'or encerclaient l'émeraude, quatre de chaque côté. Huit feuilles dans l'Énigme Ormond, huit feuilles sur le Joyau Ormond.

– Mais qui est la « belle dame couronnée » ?

– Puisque le Joyau Ormond est un cadeau de la reine à Black Tom, il s'agit forcément d'Elizabeth Ière.

Un courant électrique m'a traversé le corps. Winter me sidérait !

– Et là, tu vois ? a-t-elle repris. Ce vers décrit le portrait de la reine dans son cadre : *Tout au rond de son parfaict Visage vermeil*.

Elle m'a fixé, les yeux brillants.

– J'ai fait croire à ma préceptrice, miss Sparks, que je ne comprenais pas bien ce vers. D'après elle, il signifierait « Tout autour de son parfait visage vermeil ». Il pourrait donc évoquer l'ovale formé par les feuilles d'or autour du portrait.

– Tu as parlé de l'Énigme à ta préceptrice ?

– Bien sûr que non ! s'est-elle esclaffée. Rassure-toi, j'ai prétendu que je lisais un poème du XVIe siècle. Elle était ravie de cet intérêt subit ! Elle m'a expliqué qu'à l'époque, l'orthographe n'était pas la même. Par exemple, on utilisait indifféremment les lettres « s » ou « z ». Mais dès qu'elle a fait mine de s'intéresser d'un peu trop près au texte, j'ai changé de sujet.

J'ai fixé les perles et les rubis sertis entre l'émeraude ovale et les feuilles d'or. Suivant mon intuition, j'ai commencé par compter les rubis. Il y en avait seize. Ce chiffre ne correspondait à rien. En revanche, lorsque j'ai dénombré les perles, mon cœur a bondi dans ma poitrine.

– Winter! Il y en a treize! Treize perles!

– Les treize larmes! s'est-elle exclamée.

Elle a écarquillé les yeux.

– Mais oui! C'est ainsi qu'on appelait les perles autrefois : les larmes de lune! Treize larmes!

Treize larmes. Treize perles. Les deux moitiés du code à double clé s'ajustaient. J'ai aussitôt pensé à Boris, à sa réaction devant cette découverte. Il en aurait le souffle coupé. Assez coupé, je l'espérais, pour ne pas m'accabler d'injures quand il apprendrait que j'avais revu Winter.

– Qu'est-ce que tu fais? ai-je interrogé Winter.

Penchée sur son carnet, elle griffonnait quelque chose. Elle a levé la tête, m'a souri.

– Je le dessine. Ça ne te dérange pas? Si je garde une image du Joyau, je pourrai continuer à réfléchir au puzzle.

Content d'avoir autant progressé, j'ai répondu :

– Bonne idée.

Winter a tracé adroitement les contours du Joyau, avec les huit feuilles et les treize perles autour de l'énorme émeraude.

Soudain, réalisant que nous discutions depuis très longtemps, j'ai commencé à rassembler mes affaires afin de m'en aller. Winter s'est interrompue et m'a observé remplir mon sac.

– Il faut que je parte, ai-je expliqué d'un ton hésitant.

– Cal.

Elle s'est approchée de moi. Elle a plongé son regard dans le mien avec une telle intensité que j'étais presque mal à l'aise. Je me suis immobilisé.

– J'ai trouvé le moyen de communiquer avec mes parents, a-t-elle murmuré.

– Pardon ?

– Je ne parle pas de médium ou de trucs de ce genre, mais d'une action très simple qui a l'air de fonctionner pour moi. Même si mon père et ma mère ne sont plus avec moi, je peux m'adresser à eux. Quand je suis préoccupée, je vais les voir. Au cimetière, je m'assieds à côté de leur tombe. Ce n'est pas morbide, au contraire cela m'apaise. Souvent, je m'installe là-bas, et les réponses émergent naturellement dans mon esprit.

J'ai froncé les sourcils.

– Tu crois que je devrais...

– J'en suis sûre. Voilà un an que tu as perdu ton père. Je t'accompagnerai. Ça aide toujours d'avoir une amie qui comprend.

Sa dernière phrase m'a fait sourire. *Une amie qui comprend.*

– Ce soir ? ai-je proposé.

Winter a acquiescé.

– Je ne pense pas qu'on aura le droit d'entrer dans le caveau. Mon père est enterré dans un mausolée.

– Ça ne fait rien, allons-y.

23:25

Nous avons longé d'un pas rapide le mur du cimetière en direction de l'entrée principale. Je savais que les grilles seraient fermées à une heure pareille, mais l'obscurité nous offrirait la meilleure des protections pour les escalader.

Une fois à l'intérieur, nous nous sommes avancés entre les tombes lugubres et muettes. Dans la pénombre, le marbre blanc des statues d'anges et des colonnes paraissait gris. Un léger vent nous picotait le visage et faisait bruire les feuilles des arbres.

Je n'ai eu aucun mal à me diriger au milieu des allées sinueuses. Winter marchait tout près de moi.

– C'est ici, ai-je murmuré lorsque nous sommes arrivés devant le caveau des Ormond.

Mes yeux sont tombés sur la serrure de la porte qui, à ma grande surprise, semblait la même qu'en janvier, lors de ma dernière visite. J'ai trouvé étonnant que Ralf ne l'ait pas changée après la disparition des dessins qu'il y avait cachés dans une boîte.

J'ai posé mon sac par terre et fouillé au fond pour voir si la vieille clé était toujours accrochée à ma chaîne. Je ne l'avais pas perdue ! Je l'ai introduite dans la serrure...

179

Il a suffi d'une légère poussée pour que la porte cède et s'ouvre en grinçant.

– Viens, ai-je soufflé à Winter. J'utiliserai ma lampe torche quand on aura refermé la porte.

Me prenant par la main, elle m'a suivi sans hésiter. Dès que j'ai fait fonctionner ma lampe, l'espace poussiéreux du mausolée a surgi de l'obscurité, avec ses cercueils rangés sur des bancs, ses fleurs et ses couronnes fanées. J'ai promené le rayon lumineux le long des murs. Les boîtes de Ralf avaient disparu.

Winter m'a lâché la main pour piocher dans la poche de sa jupe des allumettes et trois petites bougies qu'elle a alignées sur une étagère avant de les allumer.

Éclairée par cette lueur douce, elle a souri, puis désigné les marches qui plongeaient dans les ténèbres.

– Qu'est-ce qu'il y a en bas?

– Des ancêtres Ormond.

Elle a eu un léger frisson.

– Heureusement que j'ai mis un manteau. Cet endroit est glacial. Glacial, mais paisible.

Winter avait raison. Nous nous sommes assis en tailleur sur le sol.

– Qu'est-ce que tu dirais à ton père s'il était ici? a-t-elle murmuré.

J'ai contemplé le couvercle poussiéreux de l'urne contenant ses cendres, sans trop savoir quoi répondre.

– Je lui dirais qu'il me manque. Et que je fais de mon mieux pour terminer ce qu'il a commencé : rester en vie, résoudre le mystère, réunir notre famille.

– Il serait très fier de toi, Cal.

– Et toi, que racontes-tu à tes parents ?

En me détournant, j'ai été surpris de découvrir des larmes dans ses yeux. Elle s'est essuyé les joues puis a lissé sa jupe.

– Au début, j'exprimais ma culpabilité suite à l'accident.

Elle s'est interrompue pour me regarder.

– Je ne t'ai pas expliqué exactement comment ils sont morts... C'était le jour de mon anniversaire. Mes dix ans. Je m'étais mis en tête d'aller voir les hippocampes à l'aquarium. Mon père et ma mère semblaient très préoccupés, mais j'ai piqué une si grosse colère qu'ils ont fini par céder.

Winter s'est arrêtée pour respirer à fond avant de continuer :

– Pendant le trajet, mon père a perdu le contrôle de sa voiture dans un virage, en descente, sur une route très raide qu'il avait empruntée des milliers de fois. Je faisais l'imbécile à l'arrière, je l'ai probablement distrait. Je me souviens de la voiture en train de déraper, de mon père crispé au volant, de ses yeux affolés dans le rétroviseur. J'ai vu ma mère lui toucher le genou, puis la voiture a fait un tonneau et le monde a basculé. J'avais détaché ma ceinture de sécurité – une habitude qui les mettait toujours en colère. Du coup, quand on a percuté la rambarde sur le bord de la route, j'ai été éjectée. J'ai atterri dans un buisson sans une égratignure. La voiture a enchaîné les tonneaux. Elle a dévalé la pente avec mes parents prisonniers à l'intérieur, avant de s'écraser en contrebas, sur les rochers.

Winter a plongé son regard dans le mien. Jamais je ne lui avais vu l'air aussi triste et vulnérable.

Elle a repris une profonde inspiration – le seul bruit dans ce silence total.

– Je me suis reproché cet accident très longtemps. Je m'en veux encore parfois. Cependant j'ai beaucoup appris ces dernières années. J'ai compris qu'on ne peut pas contrôler tout ce qui arrive dans la vie. Je sais aussi que ce n'est pas moi la responsable de cet accident. Le mauvais temps, une chaussée glissante, peut-être des freins usés, mais pas moi.

J'ai hoché la tête sans pouvoir prononcer un mot.

– Maintenant, je veux retrouver cette voiture. J'ai besoin de la voir. Tu te rappelles quand tu as cru me surprendre à fouiner dans la casse de Sligo ? De soulever toutes les bâches pour inspecter ce qu'elles cachaient ?

– Oui ?

J'étais curieux de savoir où elle voulait en venir.

– Je regrette de ne te l'avoir jamais avoué... C'était bien moi. Je t'ai menti. Je n'aime pas ça. Seulement, je n'étais pas encore prête à raconter ce que je faisais là, pourquoi il était si important que je constate l'état du véhicule, pour pouvoir, enfin, faire mon deuil.

– La voiture a dû être détruite il y a long-temps, non?

– C'est possible. Pourtant, je persiste à croire qu'elle sommeille quelque part dans l'entrepôt de Sligo. Entassée avec d'autres carcasses de voitures. Je le sens plus que jamais quand je me rends sur la tombe de mes parents.

Les flammes des bougies vacillaient, mena-çant de s'éteindre, quand un souffle de vent s'est infiltré sous la porte du mausolée et les a subite-ment ranimées.

26 juillet
J –159

– Ce caveau ferait une planque idéale. Une pièce en haut, une autre en bas, une bonne serrure et des voisins hyper discrets, j'en suis certaine.

Winter a gloussé de rire.

Les bougies étaient presque entièrement consumées.

Mon amie s'est penchée pour tremper le bout de son index dans la cire.

– Il est plus de minuit, a-t-elle annoncé en me regardant.

– On ferait mieux de s'en aller. Mais j'aimerais bien laisser une trace, quelque chose qui prouve que je suis venu ici pour l'anniversaire de la mort de mon père.

J'ai fouillé mon sac. J'étais prêt à renoncer quand je me suis piqué le doigt sur la broche de l'ange gardien que Dep m'avait offerte. Je l'ai posée délicatement sur le couvercle de l'urne.

– Tu me manques, papa, ai-je murmuré. Voici un ange qui veillera sur toi.

30 juillet
J –155

11:49

Mon portable a vibré dans ma poche. Boris m'envoyait un texto :

📱 Regarde ton blog !!! Y a du 9 !

Curieux de savoir ce dont il s'agissait, j'ai suivi son conseil sans tarder.

J'avais un nouveau message personnel. En découvrant le nom de son auteur, j'ai failli tomber à la renverse.

Cal **Ormond** Écrire à Cal Laisser un commentaire Boîte de réception 1 message	De : O. de Witt Cal, tu penses sans doute avoir toutes les cartes en main. Crois-moi, tu te trompes. Nous devons, d'urgence, conclure une alliance, sinon l'immense valeur de la Singularité Ormond sera réduite à néant. Le 31 décembre, tout sera perdu, à jamais. Ou, pire, Vulkan Sligo réussira à te doubler et obtiendra ce qui devrait te revenir de droit. J'admets que tu n'as aucune raison de me faire confiance. C'est pourquoi je te propose deux entrevues. La première, un simple geste de bonne volonté, consistera à prouver à maître Drake Bones (mon représentant légal) que tu possèdes l'Énigme et le Joyau. En retour, il te remettra une copie du testament de Piers Ormond et te dévoilera une information capitale en rapport avec l'enlèvement de garçons jumeaux, il y a quinze ans. Notre bonne foi réciproque dûment établie, nous pourrons discuter, lors d'une seconde entrevue, des moyens d'avancer ensemble.

> J'espère que tu accepteras ces rendez-vous qui servent autant tes intérêts que les miens. Merci de contacter Drake Bones le plus vite possible.
>
> O. D. W.

Stupéfait, j'ai cligné des yeux plusieurs fois.

Ainsi, Oriana de Witt était la cliente dont Drake Bones m'avait parlé au téléphone ! Elle faisait appel aux services du notaire de la famille Ormond ! L'homme qui détenait le testament de Piers Ormond ! Et elle admettait que les avantages liés à la Singularité Ormond me revenaient de droit. Qu'avait-elle à y gagner alors ? Je ne comprenais plus rien.

J'avais besoin de mes amis pour y voir plus clair.

12 Lesley Street

14:00

L'air soucieux et méfiant, Winter et Boris se sont assis avec moi autour de la table. J'étais soulagé que Boris ait accepté de nous rejoindre dans le studio de Winter. Il avait été impressionné par les connexions qu'elle avait établies au sujet du code à double clé. Nous étions tous les trois pressés de démêler le DMO.

– Que faire ? a demandé Winter. Tu crois que tu peux te fier à Oriana de Witt, après tout ce qui s'est passé ?

– Elle qui a voulu me tuer cent fois ! Qui m'a fait enlever, implanter une puce électronique dans l'épaule, suivre, tabasser... et dont les hommes de main ont provoqué la mort de mon grand-oncle !

J'avais le cerveau en ébullition. Oriana de Witt pensait-elle réellement que nous pouvions nous allier ? Comptait-elle me fournir le testament de Piers Ormond, qui contenait sans doute des informations capitales ?

Par-dessus tout, j'étais sidéré qu'elle prétende détenir des renseignements sur cet enlèvement de bébés jumeaux qui avait eu lieu quinze ans plus tôt... Quinze ans ! Qu'est-ce que cela signifiait pour moi ? Étais-je l'un des jumeaux ? Avais-je un frère, perdu depuis longtemps ?

Trop de questions, trop de doutes, trop d'appréhensions tourbillonnaient dans ma tête. La situation était si simple à l'époque où Oriana de Witt n'était que mon ennemie.

– Ça va ? s'est inquiétée Winter.

J'ai secoué la tête.

– Et ce Bones ? On peut lui faire confiance ?

La voix de Boris m'a ramené sur terre.

– Drake Bones est le notaire de la famille Ormond, ai-je précisé en luttant pour me remettre les idées en place. Il croit à mon innocence, du moins c'est ce qu'il prétend.

– Qu'as-tu décidé? a demandé Winter.

– Je ne sais pas trop.

« Qui suis-je? », ne cessais-je de m'interroger. Ma vie entière, mon identité reposaient-elles sur des mensonges, des dissimulations? Cette histoire de jumeaux m'ébranlait plus que le reste. C'était comme si tous, y compris mes propres parents, m'avaient caché un terrible secret que personne ne voulait m'expliquer… sauf Oriana de Witt. Quelle que soit la vérité, j'avais besoin de la connaître.

– Je ne risque rien à l'appeler, ai-je déclaré en prenant mon portable pour composer le numéro de Bones.

J'ai enfoncé la touche haut-parleur.

14:12

– J'attendais votre coup de fil, a dit le notaire. J'ai accepté le rôle d'intermédiaire pour le compte d'une avocate. Vous voyez qui?

– Oui.

– Elle vous a déjà précisé, il me semble, son désir de négocier avec vous. Après une entrevue préliminaire au cours de laquelle vous me prouverez que vous possédez bien certains objets, j'aurai le plaisir de vous livrer une information concernant l'enlèvement de bébés jumeaux. Je vous remettrai également la copie d'un testament auquel vous attachez, je crois, une grande importance.

– Pourquoi n'ai-je pas accès à ce testament sans être obligé de me soumettre à toute cette mascarade ? Il s'agit d'une affaire de famille, de ma famille.

Un ricanement asthmatique s'est répercuté sur les murs du studio de Winter. En entendant ce rire sardonique, j'ai imaginé le notaire sous les traits d'un gros type sinistre. J'ai observé mes amis. Tous les deux avaient eu le même mouvement de recul.

– Allons, Cal, vous attendez-vous vraiment à ce que je confie un document juridique à quelqu'un dans votre situation ? Un fugitif ! Accusé de meurtre ! Avez-vous réalisé que je pourrais vous dénoncer à la police et réclamer la prime offerte pour votre capture, à la minute même où vous vous montrerez ?

Il a ricané de nouveau, plus fort, et cela m'a profondément déplu.

– Comment puis-je avoir l'assurance que vous ne le ferez pas, justement ?

– Écoutez, Cal, mon rôle se limite à servir d'intermédiaire et à examiner les objets en votre possession. L'argent ne m'intéresse pas – j'en ai largement assez. J'ai choisi un endroit tranquille pour notre rendez-vous : les locaux de la société de mon frère, Bones, Graves & Digs. Cet arrangement doit être conclu dans les quarante-huit heures, sinon ma cliente annulera sa proposition. Vous me suivez?

– Comment procède-t-on?

– Vous vous présenterez au lieu de rendez-vous demain, après les heures de bureau. Disons à vingt heures. Au 317 Temperance Lane. C'est derrière Mason Place. Vous connaissez?

D'un hochement de tête, Winter m'a signifié qu'elle voyait où c'était.

– Je trouverai. J'y serai.

– Avec les objets exigés, m'a rappelé Bones. Il y a une entrée de service, à l'arrière du bâtiment, qui restera ouverte pour vous. Entrez directement. Une enveloppe à votre nom, contenant les documents que vous désirez, y aura été déposée. Dès que j'aurai vu de mes propres yeux les objets en question, nous repartirons chacun de notre côté. Ensuite, vous attendrez que je vous téléphone. Je vous donnerai les instructions pour votre rencontre avec maître de Witt. Est-ce clair?

– Entendu. À demain.

14:23

___

– Je t'accompagne, a déclaré Boris.

– Moi aussi, a renchéri Winter. Pas question que tu te rendes là-bas tout seul. Qui sait ce qu'ils mijotent.

– On pourrait arriver en avance de manière à examiner les environs, se cacher dehors et t'attendre.

– On surveillera tous les deux tes arrières. Tu es bien sûr de vouloir y aller ? s'est inquiétée Winter.

– Oui. Sûr et certain, ai-je répondu alors que je me sentais très partagé.

J'avais le plus grand mal à imaginer Oriana de Witt en alliée. C'était même complètement inimaginable. Je projetais de rejoindre ce Bones, de prendre l'enveloppe puis de déguerpir. Jamais je n'accepterais une entrevue avec Oriana de Witt.

– Demain soir, tu apprendras peut-être la vérité sur ton sosie, a observé Boris. J'espère que tu es prêt à l'affronter.

00:00

📱 Cal, je veux être la première à te souhaiter BON ANNIVERSAIRE ! Biz. Winter

10:13

📱 Bon anniversaire Cal. GSpR q tu auras D réponses ce soir. A + Boris

Temperance Lane

19:45

Nous venions de passer une heure accroupis tous les trois dans une ruelle, à épier discrètement le 317 Temperance Lane.

L'immeuble donnait sur une petite rue tortueuse qui partait de Mason Place, exactement comme Bones l'avait indiqué.

Dans mon sac à dos, j'avais le texte de l'Énigme Ormond et le Joyau Ormond. Nous nous sommes relevés.

Je savais qu'il serait impossible de contrôler un endroit pareil, cependant Boris et Winter avaient proposé de surveiller chacun une extrémité de la ruelle tandis que je me trouverais dans les locaux. J'espérais que tout se déroulerait bien.

– Je me posterai ici, a dit Boris lorsque nous sommes parvenus au coin de la rue. Si je vois arriver quelqu'un à l'allure louche, je te préviens.

Il a sorti son portable.

– Je ferai pareil à l'autre bout, a répliqué Winter. Tu es sûr que tu ne veux pas qu'un de nous deux t'accompagne ?

J'ai secoué la tête.

– Je peux me débrouiller tout seul. Si je flaire le moindre problème, je ressors à la vitesse de l'éclair.

Winter m'a souri :

– Ne t'attarde pas. On a un anniversaire à fêter juste après !

Je me suis approché prudemment. À la lueur des réverbères, j'ai vu que la porte de service de chez Bones, Graves & Digs était entrebâillée. Je l'ai poussée et je suis entré.

À l'intérieur régnait le plus grand silence. J'étais en mode « alerte rouge ». Toutefois, l'immeuble semblait aussi désert que le mausolée Ormond.

« Drake Bones va se présenter d'une minute à l'autre », me suis-je dit en consultant ma montre. Tout en traversant l'étroite entrée sur laquelle s'ouvrait une pièce plus vaste, je m'interrogeais sur l'information qu'on me remettrait. La lumière était éteinte, mais l'éclairage de la rue, qui s'infiltrait par les fenêtres, a suffi à me faire comprendre où j'étais. Stupéfait, je me suis immobilisé sur le seuil.

Le frère de Drake Bones dirigeait une entreprise de pompes funèbres !

Des cercueils en bois ciré, clair ou foncé, aux poignées d'argent rutilantes, reposaient sur des tréteaux. Certains étaient doublés de satin ; d'autres, à peine terminés, attendaient leur garniture de tissu. Il y en avait un, tout blanc, dont l'intérieur somptueusement décoré d'une fresque rappelait la Chapelle Sixtine, avec ses nuages et ses angelots sur fond de ciel bleu.

Le long des murs, rangés derrière un comptoir, plusieurs cercueils étaient entreposés à la verticale. Sur la gauche, j'ai aperçu une pièce exiguë au sol jonché de copeaux de bois. L'atelier sans doute.

J'ai cherché des yeux l'enveloppe promise par Bones. Je l'ai repérée, posée sur le comptoir.

Près de la porte de l'atelier, à côté d'un grand cercueil noir dressé contre le mur, était affichée la liste des enterrements à venir. Il n'y en avait qu'un de prévu pour le lendemain. Au moment où je me penchais pour lire le nom du mort, j'ai perçu une légère odeur étrangement familière, sans que je parvienne à l'identifier.

Aussitôt un bruit bizarre a retenti.

J'ai fait volte-face.

– Qui est là ? ai-je crié.

Silence. Devais-je m'enfuir sur-le-champ ?

Pas question de partir sans l'enveloppe. J'allais la saisir quand, bam ! le comptoir s'est brusquement relevé, me frappant en plein front.

Ce n'était pas un comptoir, c'était un cercueil ! Quelqu'un venait d'ouvrir le couvercle et se jetait sur moi.

Confus, choqué par la violence du coup, j'ai trébuché en arrière, les mains tendues en avant pour tenter de me protéger contre l'individu surgi du cercueil.

J'ai à peine remarqué ses bottes de cow-boy quand il s'est dressé au-dessus de moi. Je reculais toujours d'une démarche titubante quand soudain, une violente piqûre au cou m'a stoppé net. Je me suis retourné pour apercevoir le visage de mon agresseur, mais une étrange sensation de brûlure se diffusait déjà dans mes épaules et ma tête.

Je sentais mes mouvements se ralentir comme dans un cauchemar. Je ne pouvais presque plus remuer les bras et les jambes. On m'a arraché mon sac à dos. Ma vision s'est troublée et c'est à travers un brouillard que j'ai vu une silhouette sombre le lancer dans le cercueil décoré de nuages et d'angelots.

Le brouillard s'est épaissi. Un rideau noir m'est tombé devant les yeux. J'avais beau lutter pour rester conscient, c'était impossible. Je n'empêcherais pas les ténèbres de m'engloutir...

23:01

Incapable de faire un mouvement, j'ai cligné des yeux plusieurs fois, en vain : je ne voyais rien. La sensation de brûlure s'était transformée en un engourdissement total.

Il faisait nuit noire. J'ai deviné quelque chose près de ma figure. Usant de toute ma volonté, j'ai essayé d'obliger mes doigts à remuer : ils refusaient ! J'étais paralysé ! Pétrifié par l'angoisse, j'avais l'impression d'être bloqué de toutes parts – à gauche, à droite, dessus, dessous, coincé dans un espace confiné.

Que se passait-il? Où étais-je? Il fallait que je sorte de là pour récupérer mon sac!

Soudain, j'ai ressenti une secousse, comme si des mains invisibles me soulevaient. Était-ce un effet étrange de la drogue qu'on m'avait administrée? Les secousses ont continué jusqu'à ce que j'entende un raclement; on me poussait en avant. Ma tête a légèrement bougé. Mon nez a touché quelque chose de très doux, tout près de mon visage.

Horreur!

On m'avait enfermé dans un cercueil qu'on glissait dans un corbillard!

J'ai voulu crier, mais je ne pouvais pas ouvrir la bouche. Je me suis efforcé de me débattre. Impossible de réagir. Une autre secousse s'est produite. Le véhicule dans lequel on m'avait chargé s'ébranlait. Je me suis alors souvenu de la liste des enterrements affichée sur le mur. Elle ne comportait qu'un seul nom.

Le mien!

J'ai tenté à nouveau de crier, cela ne servait à rien.

Le cercueil s'est mis à vibrer. Le corbillard s'est déplacé. Où m'emmenait-on?

On a roulé un certain temps. Totalement paralysé, je persistais néanmoins à essayer de remuer mes doigts et mes orteils.

Soudain, j'ai pris conscience de ma respiration. Combien d'air restait-il dans ce cercueil?

Malgré mon état de somnolence, j'ai compris que cela n'avait pas beaucoup d'importance. D'ici peu, enseveli six pieds sous terre, je serais mort.

Je n'aurais pas réussi à dépasser mon seizième anniversaire.

23:38

Le ronflement du moteur s'est tu. J'ai perçu des voix dehors, assourdies par le rembourrage du cercueil. J'avais envie de crier, de hurler, de frapper les parois qui me retenaient prisonnier, toutefois ma bouche et mes mains ne réagissaient pas.

Les paroles de ma grand-tante Emily, m'expliquant pourquoi elle savait que mon père était mort, sont revenues me hanter. « Parce que quiconque enquête sur la Singularité Ormond... finit dans un cercueil... »

La confusion et le brouillard ouatant mon cerveau m'empêchaient de maîtriser la panique qui me submergeait. Mais je visualisais la scène. Je voyais le cercueil traîné sur le sol, descendu dans un trou. Il oscillait lentement, très lentement... jusqu'à ce qu'il touche le fond...

Plof.

La première pelletée de terre a heurté le couvercle.

Plof.

La deuxième. Non! Ce n'était pas possible!

Plof.

La troisième. Puis la terre s'est mise à tomber de plus en plus vite, par pelletées de plus en plus lourdes...

Plof, plof, plof...

Qui est l'agresseur de Cal ?

Que signifie la comptine d'Emily ?

Quel secret entoure la naissance de Cal ?

Vous le saurez dans

Retrouve Cal
et toute l'actualité de la série

sur le site

www.livre-attitude.fr

L'auteur

Née à Sydney, Gabrielle Lord est l'auteur de thrillers la plus connue d'Australie. Titulaire d'une maîtrise de littérature anglaise, elle a animé des ateliers d'écriture. Sa quinzaine de romans pour adultes connaît un large succès international.

Dans chaque intrigue policière, elle attache une importance primordiale à la crédibilité et tient à faire de ses livres un fidèle reflet de la réalité.

Elle a suivi des études d'anatomie à l'université de Sydney, assiste régulièrement aux conférences de médecins légistes, se renseigne auprès de sociétés de détectives privés, interroge le personnel de la morgue, la brigade canine ou les pompiers, et effectue aussi des recherches sur les méthodes de navigation et la topographie. Au fil du temps, elle a tissé des liens avec un solide réseau d'experts.

Depuis plusieurs années, Gabrielle Lord désirait écrire des romans d'action et de suspense pour la jeunesse. C'est ainsi qu'est née la série *Conspiration 365*, qui met en scène le personnage de Cal Ormond, adolescent aux prises avec son destin.

Achevé d'imprimer en France en avril 2016
sur les presses de l'imprimerie Jouve Numérique
Dépôt légal : juin 2013
N° d'édition : 3688- 02
N° d'impression : 2372035E